LE MONDE EST CLOS
ET LE DÉSIR INFINI

Daniel Cohen

LE MONDE EST CLOS ET LE DÉSIR INFINI

Albin Michel

Pour Pauline, mon nounou,
qui devra lire ce livre aussi

« La méconnaissance par l'homme des données matérielles de sa vie le fait errer gravement. »

Georges Bataille, *La Part maudite*

Introduction

La croissance économique est la religion du monde moderne. Elle est l'élixir qui apaise les conflits, la promesse du progrès indéfini. Elle offre une solution au drame ordinaire de la vie humaine qui est de vouloir ce qu'on n'a pas. Hélas, en Occident du moins, la croissance est devenue intermittente, fugitive... Les krachs succèdent aux booms et les booms aux krachs. Comme les sorciers qui veulent faire venir la pluie, les hommes politiques lèvent les mains vers le ciel pour la faire tomber, aiguisant le ressentiment des peuples quand elle n'est pas au rendez-vous. Tout à la recherche de boucs émissaires, le monde moderne évite pourtant la question centrale : que deviendra-t-il si la promesse d'une croissance indéfinie est devenue vaine ? Saura-t-il trouver d'autres satisfactions ou tombera-t-il dans le désespoir et la violence ?

Les historiens ont parlé de « crise de la conscience européenne » pour caractériser la profonde angoisse spirituelle qui a frappé l'Europe au XVIIᵉ siècle lorsqu'elle a découvert, avec Galilée et Kepler, que l'Univers était vide, que les étoiles n'étaient pas la demeure des dieux.

Nous vivons aujourd'hui une crise de même nature. C'est l'idéal du progrès qui semble se vider lorsque la croissance disparaît. La vie vaut-elle d'être vécue si elle est privée de l'espérance divine, se demandaient nos aïeux ? Aujourd'hui la question est devenue : nos vies seront-elles tristes et rugueuses si la promesse du progrès matériel nous est enlevée ?

Le grand économiste anglais John Maynard Keynes, écrivant au tout début des années trente, mettait en garde contre le pessimisme de son époque, et son message d'espoir reste aujourd'hui encore rafraîchissant. Malgré la crise qui se profilait, Keynes invitait à ne pas se tromper de diagnostic. Bientôt, le « problème économique » sera réglé, annonçait-il, comme l'avait été, un siècle auparavant, le problème alimentaire. Extrapolant le rythme de la croissance industrielle, il annonçait crânement qu'en 2030 les hommes pourraient travailler trois heures par jour et se consacrer aux tâches vraiment importantes : l'art, la culture, la métaphysique…

Hélas, la culture et les problèmes métaphysiques ne sont pas devenus les questions majeures de notre époque. La prospérité matérielle demeure plus que jamais la quête des sociétés modernes, en dépit du fait qu'elles sont devenues six fois plus riches qu'à l'époque où Keynes faisait son pronostic. Ce grand homme avait parfaitement prévu la prospérité à venir, mais totalement échoué à prédire ce que nous en ferions. Après beaucoup d'autres, il n'a pas mesuré l'extraordinaire malléabilité du désir humain, prêt à consumer toutes les richesses lorsqu'il s'agit de trouver sa place dans le monde. « Une fois que les besoins primordiaux sont satisfaits, et parfois même avant, écrit ainsi René Girard, l'homme désire intensément, mais il ne sait pas quoi. Car c'est l'être qu'il désire, un être dont il se sent privé et dont quelqu'un d'autre lui paraît pourvu... » La croissance n'est pas un moyen rapporté à une fin, elle fonctionne davantage comme une religion dont on attend qu'elle aide les hommes à s'arracher au tourment d'exister.

À l'heure où des milliards d'humains vénèrent ce même dieu et mettent en péril la vie sur la planète, une réflexion en profondeur est devenue indispensable. Peut-on reprendre le pronostic de Keynes, mais en l'inversant : admettre que la croissance matérielle s'éloigne, mais essayer pourtant de s'engager dans une ère nouvelle de bonheur (psychologique, immatériel...) ? Bref, peut-on parier que le progrès tout court n'est pas devenu une idée morte ?

L'idée de progrès a fait l'objet d'un immense malentendu. Les Lumières, qui l'annoncent au XVIIIe siècle, en font une valeur morale, d'autonomie et de liberté, lui conférant une dimension critique face à l'immobilisme des sociétés d'Ancien Régime. La révolution industrielle, qui se déploie au cours du XIXe siècle en Europe, transforme cet idéal en promesse de progrès matériel. Elle installe pour ce faire une organisation sociale qui lui tourne radicalement le dos ! Les ingénieurs chassent les prêtres mais la société industrielle demeure tout aussi verticale qu'avant. Dans la famille comme dans l'usine, le modèle hiérarchique de la société reste dominant. Au XXe, le fordisme, qui est l'étendard du monde industriel, conserve l'organisation pyramidale d'antan. Dans le domaine de la vie privée, il faut attendre 1965, en France, pour que les femmes puissent disposer d'un compte en banque sans demander l'autorisation ! Quelque deux siècles après la Révolution française, elles étaient toujours sous la tutelle de leur mari pour la plupart des actes juridiques les concernant. Pour les femmes comme pour de nombreuses catégories de la société, l'idée d'autonomie, de liberté, est longtemps restée lettre morte.

Ce n'est que tout récemment, au cours des dernières décennies, qu'ont fini par disparaître les derniers vestiges de la société paysanne. Les travailleurs ne travaillent plus la matière (agricole ou industrielle) mais des flux d'informations. À suivre le sociologue Ronald Inglehart, la créativité remplace l'autorité comme valeur structurante. À ses yeux, les idées des Lumières tiennent enfin leur revanche : la scolarisation de masse et l'État-providence arrachent les hommes au dénuement et à la superstition... Hélas, Inglehart répète à son tour l'erreur de Keynes quand il conclut qu'un monde postmatérialiste, affranchi des contingences de la nécessité, est désormais à nos portes. Loin de créer un univers rassurant, tolérant, la société postindustrielle fait en réalité exactement le contraire : elle entretient l'insécurité économique, la peur du lendemain, et finit par ruiner les idéaux qu'elle est censée exalter.

La société industrielle était parvenue (tardivement) à sceller l'unité d'un mode de production et d'un mode de protection, à la manière du monde féodal... Aujourd'hui, la nouvelle économie numérique installe un modèle productif à « coût zéro », totalement disruptif. Des logiciels bon marché absorbent les tâches routinières, quel que soit leur niveau de sophistication, du jeu d'échecs aux transactions boursières en passant par les distributeurs de billets. Google fait conduire des voitures par des ordinateurs. Au Japon, des robots s'occupent des personnes âgées. La tension nerveuse des humains est poussée à des niveaux inédits pour échapper à cette marée montante, comme si toute activité qui tend à se répéter était par avance condamnée à être remplacée par un logiciel. Pour reprendre une formule de Pierre Legendre, juriste et psychanalyste, l'homme moderne vit « au-dessus de ses moyens psychiques », à l'image d'un ménage surendetté s'installant dans une situation insoutenable, dans le déni d'une richesse disparue.

La société numérique est habitée par un étrange paradoxe : jamais les perspectives technologiques qu'elle annonce n'ont paru si brillantes, mais jamais les perspectives de croissance n'ont été si décevantes. Aux États-Unis, 90 % de la population n'a connu aucune augmentation de son pouvoir d'achat au cours des trente dernières années. En Europe, la croissance moyenne du revenu par habitant est passée de 3 % à 1,5 % puis à 0,5 %, durant la même période. Nous vivons ce qui apparaît comme une contradiction dans les termes : *une révolution industrielle sans croissance* ! Comment comprendre cette situation étonnante ? Pourquoi l'âge numérique ne produit-il pas la même accélération que l'âge électrique un siècle plus tôt ?

La première explication est à chercher du côté du travail. Pour que la croissance soit forte, il ne suffit pas que des machines performantes *remplacent* les humains. Il faut qu'elles rendent productifs ceux dont les emplois ont été détruits. La croissance au XXe siècle avait été particulièrement robuste parce que les paysans chassés des campagnes avaient trouvé en ville des emplois industriels à fort potentiel. Il ne suffirait pas aujourd'hui que des emplois de jardiniers remplacent ceux de l'industrie pour que la croissance reparte durablement. Il faudrait que le jardinier apprenne à augmenter la quantité ou la qualité (?) des fleurs qu'il cultive, si l'on tient à ce que la croissance persiste.

Ce qui mène à la deuxième explication. La société industrielle avait accompli la tâche immense d'urbaniser les populations. La société postindustrielle est beaucoup moins ambitieuse. Elle s'efforce de mieux gérer les interactions sociales (le covoiturage, les rendez-vous galants ou sociaux…), de réduire les nuisances (sonores et écologiques) et d'accroître la variété des choix télévisuels. Mais, selon l'économiste Robert Gordon notamment, elle ne parvient pas à créer une société de consommation vraiment nouvelle. À part le smartphone, le consommateur ne subit pas un choc de même nature que celui qu'il a connu en découvrant l'ampoule électrique, l'automobile, l'aviation, le cinéma, l'air conditionné… La société numérique presse les travailleurs comme des citrons (côté production), mais le monde qu'elle fait advenir (côté consommation) est déjà saturé des tablettes et smartphones qui sont sa signature.

Les commentateurs les plus enthousiastes des nouvelles technologies balaient ces objections en faisant des pronostics qu'ils croient encourageants. À suivre par exemple le projet « transhumaniste », chacun pourra disposer bientôt d'organes nouveaux, biologiques et informatiques, pour améliorer son corps et son intelligence et accroître leur efficacité. Au rythme d'évolution des microprocesseurs, on devrait pouvoir stocker bientôt dans une clé USB toute l'information contenue dans le cerveau, ce qui permettra d'améliorer ses performances… « Nous transcenderons la biologie ! » déclare fièrement son inspirateur, Ray Kurzweil, qui annonce aussi que l'immortalité deviendra une possibilité ! Rien ne permet d'affirmer que la révolution génétique fera mieux que la révolution informatique en matière de croissance. Mais ce projet est évidemment moins une prévision qu'un nouveau témoignage de notre besoin irrépressible de croire, constamment, en l'imminence d'une nouvelle révolution.

La société moderne a intensément besoin de croissance pour tenir debout. Mais jusqu'où est-elle prête à aller pour la retrouver ? Le film *Blade Runner*, tiré d'un roman de Philip K. Dick, a donné une vision crépusculaire d'un monde à venir, aujourd'hui à nos portes. Los Angeles est étouffée par la pollution. L'industrie génétique a fabriqué des clones de plus en plus parfaits, transformés en esclaves destinés aux tâches inhumaines. Le personnage interprété par Harrison Ford est chargé de traquer des cyborgs en révolte. Il tombe amoureux d'une androïde et au moment où il lui fait découvrir qu'elle n'est pas humaine, celle-ci lui fait comprendre la solitude de sa propre vie. Les robots, les cyborgs, le réchauffement climatique, des villes asphyxiées : images d'un monde possible qui ne fait pas rêver, où l'humanité vivra « au-dessus de ses moyens » psychiques et écologiques.

Georges Bataille avait analysé, dans *La Part maudite*, cette malédiction répétée des sociétés humaines de vouloir « aller de toutes parts au bout de [leurs] possibilités », comme si telle était la seule manière de saisir leur vérité. Peut-on échapper à cette malédiction ? Nous sommes en train de gâcher notre nouveau rendez-vous avec les Lumières, sans l'avoir véritablement décidé. Pourrons-nous donner leur chance aux valeurs d'autonomie et de liberté sans tomber dans le piège de l'insécurité ? Pouvons-nous, à l'échelle de la planète, à l'heure où des milliards de personnes s'engagent à leur tour dans la société industrielle, éviter de passer par la case « chaos » pour rendre notre époque intelligible ?

Telles sont les questions brûlantes auxquelles la finitude de notre monde oblige à répondre, nous entraînant par un long voyage dans la compréhension du désir humain et des registres dans lesquels il s'est exprimé tout au long de son histoire.

I.

AUX SOURCES DE LA CROISSANCE

L'espèce humaine

La croissance est-elle le propre de l'homme ? Question qui semble saugrenue : la croissance est une idée neuve, qui ne date que des deux derniers siècles. De la nuit des temps jusqu'à la révolution industrielle du XVIIIᵉ siècle, le revenu des humains a stagné au niveau de celui des plus pauvres d'aujourd'hui, soit autour d'un euro par jour. La croissance, au sens d'une hausse continue du revenu par habitant, est la grande nouveauté du monde moderne. Pourtant, à condition d'admettre que le temps s'est compté en millénaires puis en siècles et désormais en décennies, elle remonte beaucoup plus loin dans l'histoire et oui, à de nombreux égards, la croissance apparaît bien comme une disposition propre aux humains.

Deux big-bangs se répondent, qui ont transformé le cours de l'existence humaine sur une échelle de temps extrêmement courte à l'aune de l'histoire de l'espèce. Le premier est l'invention de l'agriculture, laquelle a engendré une explosion démographique, toujours en cours aujourd'hui. La population humaine est passée de 5 millions il y a dix mille ans à 200 millions à l'âge du Christ, et pourrait atteindre 10 milliards en 2050, date à partir de laquelle elle devrait se stabiliser. L'agriculture donne naissance à l'écriture, à la monnaie, à la métallurgie, à l'imprimerie, à la boussole et à la poudre.

Le second big-bang est la révolution scientifique du XVIIᵉ siècle, qui donne au savoir humain une nouvelle force, elle aussi de type exponentiel. Pour prendre un exemple récent parmi mille : selon une estimation originale faite par l'économiste William Nordhaus, le coût pour effectuer un ensemble standardisé de calculs a été abaissé par un facteur de plus de un milliard au cours des cinquante dernières années.

Nous vivons l'aube d'un troisième big-bang, où ces deux forces entrent en résonance, se multipliant l'une par l'autre. Le prix Nobel de chimie Paul Crutzen parle d'un « anthropocène » pour caractériser notre époque : le passage d'un monde dominé par la nature à un monde dominé par l'homme. Un chiffre résume à lui seul la signification de ce terme. Au moment où l'agriculture s'est développée, les êtres humains, leurs troupeaux et autres animaux domestiques représentaient moins de 0,1 % du total des mammifères. Aujourd'hui, ils en représentent plus de 90 %.

Confrontés au défi exceptionnel de vivre dans un monde clos, saturé par leur présence, les humains doivent s'obliger à penser collectivement les conséquences de leurs actes. C'est un effort qu'à ce jour ils n'ont jamais fait, portés par une évolution historique dont ils n'ont généralement compris qu'a posteriori la signification réelle. Retrouver la maîtrise d'un avenir désirable exige de reprendre le fil de cette histoire, pour en saisir la part de contingence et de nécessité.

Comment, pourquoi la croissance économique, au sens que nous donnons aujourd'hui à ce terme, est-elle apparue ? Quelles causes singulières expliquent qu'elle surgisse d'abord en Occident plutôt qu'en Chine ou ailleurs ? Faut-il y voir le signe d'une supériorité philosophique, politique, morale ou d'une coïncidence qui déjà s'estompe ? Questions décisives pour comprendre les sources de notre addiction moderne non pas tant à la richesse qu'à son augmentation indéfinie, et qui nous oblige à cerner ce qu'on peut appeler, avec le sociologue Norbert Elias, le « processus de civilisation ».

Sapiens

Les premiers hominidés apparaissent il y a huit à six millions d'années, et rien n'aurait permis de prédire qu'ils deviendraient un jour les maîtres de la planète. Les fourmis et les termites avaient mis quelque cent millions d'années pour prendre possession du sous-sol, laissant aux autres espèces le temps de s'y adapter. L'homme a occupé la Terre beaucoup plus vite et, de manière extraordinaire, semble s'acharner à la détruire !

Les fossiles les plus anciens remontent à sept millions d'années : ce sont ceux de Toumaï, un *Sahelanthropus tchadensis*, dont la capacité crânienne est celle d'un chimpanzé actuel. Viendra ensuite l'*Australopithecus afarensis*, l'espèce de « Lucy » (découverte par Yves Coppens en 1974 et dont le nom est un hommage à une chanson des Beatles). Puis un sous-groupe se distingue : celui de l'*Homo habilis*, qui apparaît il y a deux millions et demi d'années et disparaîtra sept cent mille ans plus tard. Le climat devenant plus sec, la savane a remplacé les forêts où vivait *habilis* (ses longs bras suggèrent qu'il était souvent dans les arbres). *Homo erectus* (en tandem avec l'un de ses cousins, *Homo ergaster*) vint ensuite, donnant le départ d'une formidable mutation du cerveau[1]. La pensée abstraite et le langage syntaxique, la mémoire de long terme, la capacité de construire des scénarios hypothétiques, de coopérer au sein du groupe et de prédire les intentions de ses ennemis : tel est le formidable attirail que le cerveau a offert à l'homme[2].

Selon le spécialiste d'anthropologie évolutionnaire Michael Tomasello, la supériorité humaine tient au pouvoir de collaborer avec autrui pour atteindre des buts communs. « Nous sommes devenus experts pour déchiffrer les pensées d'autrui, et champions du monde pour inventer de nouvelles cultures[3]. » Les chasseurs-cueilleurs comme les traders de Wall Street papotent (*gossip*) en toute occasion. La socialité des humains se compare superficiellement à celle des insectes, capables eux aussi d'une formidable division du travail mise au

---

1. Le philosophe Francis Wolff s'amuse de cette foison d'aïeuls : « On cherchait encore naguère un ancêtre commun à l'homme et au singe, mais la question perd progressivement de sa pertinence. Qu'en est-il d'*Homo erectus* ? Qu'en est-il de l'homme de Florès, voire des mystérieux Denisoviens, et de toutes ces espèces humaines fossiles que l'on ne manquera pas de découvrir demain et qui apparaîtront comme de nouveaux coups portés à "notre" humanité ? », « La question de l'homme aujourd'hui », *Le Débat*, mai-août 2014.

2. *Habilis* est le premier hominidé dont le volume cérébral dépasse les 1 000 cm^3, contre 360 pour Toumaï et 1 350 pour nous.

3. *Aux origines de la cognition humaine*, Retz, 2004.

service de la reproduction de l'espèce. Mais les origines de la coopération, chez les abeilles, ne sont pas vraiment « coopératives » : c'est la reine seule qui commande la reproduction de son patrimoine génétique. Elle voyage au loin et coupe les liens avec sa colonie d'origine pour constituer la sienne. L'espèce humaine joue de ressorts plus subtils, plus flexibles : des mélanges d'altruisme, de domination, de réciprocité, de trahisons et de mensonges forment les traits grâce auxquels les humains jouent leur destin sur la grande scène de la vie sociale.

Les humains innovent sur une échelle de temps extrêmement courte. La plupart des idées qui viennent aux animaux meurent avec eux. Les chimpanzés femelles apprennent à leurs enfants comment casser des noix et effeuiller des tiges pour attraper des termites, mais le langage humain, allant beaucoup plus loin que le langage des autres animaux, permet d'apprendre collectivement. Nous partageons 98,4 % de l'ADN des chimpanzés. Comme individus, nous ne sommes pas beaucoup plus géniaux que nos cousins simiesques. Comme espèce, nous faisons beaucoup mieux. On ne doit pas comparer le cerveau de l'homme à celui du chimpanzé, mais, en quelque sorte, la somme combinée de toutes les intelligences humaines à celle de tous les chimpanzés.

Tout au long de son histoire, l'humanité a produit des techniques d'accumulation et de diffusion du savoir qui ont démultiplié sa force de frappe, technique et sociale. L'écriture, la monnaie, puis, beaucoup plus tard, l'imprimerie, le téléphone, Internet, sont des technologies qui ont permis de créer une intelligence collective, sans aucun équivalent chez les autres espèces animales.

Le cerveau combine une double disposition à être hautement intelligent, à la manière d'un ordinateur, et émotif, à la manière d'un adolescent amoureux... Égoïste et altruiste, rationnel et émotif : comment notre espèce a t elle réconcilié ces qualités contradictoires ? Selon les travaux d'Edward Wilson, présentés dans son livre *The Social Conquest of Earth*[1], deux traits biologiques seraient à l'origine de ces dispositions : la taille (élevée) et la mobilité (réduite). Les humains sont certes petits comparés aux dinosaures, mais (très) grands relativement aux insectes. Ceux-ci sont trop petits pour maîtriser la matière ou le feu. Mais ils voyagent vite et loin, échappant ainsi au contact avec d'autres groupes. Les humains, à la mobilité faible, doivent cohabiter (pacifiquement ou conflictuellement) avec leurs congénères. Incapables de courir aussi vite que leurs proies – antilopes, zèbres ou autruches –, ils peuvent les traquer sur de longues distances et apprendre à employer des projectiles : lancer des pierres, puis des lances ou des flèches, ou utiliser le feu pour chasser puis cuire la viande.

L'invention de la culture

Le fait d'appartenir à un groupe, à une tribu, de la défendre contre les groupes rivaux fait partie des fondements de la nature humaine. Les théories du

---

1. Trad. fr. *La Conquête sociale de la Terre*, Flammarion, 2013.

gène égoïste ont semblé attrayantes pour expliquer cette concomitance étonnante d'altruisme et d'individualisme qui se rencontre aussi chez de nombreuses espèces. Exemple typique, les mantes religieuses mâles, qui se laissent dévorer par les femelles pour assurer la reproduction de l'espèce. Les ressorts du tribalisme humain sont beaucoup plus complexes que la reproduction mécanique du gène. Des tests de psychologie (auprès d'étudiants) ont montré la vitesse à laquelle se forment, chez les humains, de manière totalement arbitraire, des clans. En donnant des cartes bleues et rouges à deux sous-groupes d'individus qui ne se connaissent pas et ne partagent aucun patrimoine génétique, on crée vite une solidarité au sein de chaque couleur. Les frontières entre les groupes sont totalement malléables : les familles, les alliances, les corporations donnent à chacun une place dans un monde chaotique.

Dans *Les Structures élémentaires de la parenté*, Lévi-Strauss explique que l'homme est la seule espèce à s'être domestiquée elle-même. L'interdit de l'inceste est à ses yeux le moment fondateur où la culture prend le pas sur la nature : je donne ma fille contre la tienne et nos clans vivront en paix. La capacité à créer des interdits et des classifications, sans aucune cause biologique, est l'un des traits répétés des humains. Une fille pourra (devra parfois) épouser le fils de son oncle maternel, mais non le fils de son oncle paternel, alors que d'un point de vue génétique, il n'y a aucune différence entre les deux cas. Tel est le fondement de la culture : poser des règles, en elles-mêmes totalement arbitraires du point de vue génétique, qui fixent les modalités de la vie sociale.

La culture n'est pas, toutefois, le monopole de l'homme. Chez les chimpanzés, les femelles vont rejoindre des communautés avoisinantes tandis que les mâles, grégaires, doivent assurer leur position au sein du groupe d'origine. Les loups et les chiens sauvages d'Afrique ont une organisation élaborée, où les chasseurs rapportent de la nourriture à la reine mère et aux nouveau-nés. Les chimpanzés et les bonobos chassent en bande. Les bonobos ont une sexualité débordante, non reproductive, destinée à apaiser le stress d'une espèce très émotive. L'empathie se retrouve chez les macaques rhésus. Et la violence des « gangs » de jeunes chimpanzés contre leurs congénères est remarquablement proche de celle de leurs homologues humains !

Dans toutes les espèces, la survie exige la coopération du groupe pour faire face aux prédateurs. A contrario, au sein de celui-ci, la compétition (des mâles pour les femelles) favorise les dispositions inverses du chacun pour soi. Ces deux traits ne sont pas toujours cohérents entre eux, la nature ne fait pas forcément bien les choses… Une gazelle doit courir plus vite que les autres pour échapper à ses prédateurs, et, in fine, c'est une bonne chose pour l'espèce dans son ensemble. À l'inverse, lorsque Darwin analyse les paons, il note que leur magnifique queue colorée permet de séduire les femelles, mais qu'elle est aussi un frein pour fuir les prédateurs. Les cerfs ont des bois qui leur permettent de vaincre leurs rivaux, mais au prix d'une mobilité réduite qui devient un handicap. Il est logique pour les mâles pris individuellement de vouloir attirer les femelles, mais cela se fait parfois au détriment de l'espèce dans son ensemble[1].

Qu'est-ce que l'homme ?

Revenons dès lors à la question : qu'est-ce qui distingue l'homme des autres espèces ? Freud la pose de la manière suivante : « Pourquoi les animaux n'offrent-ils pas le spectacle d'un tel combat pour la culture[2] ? » Par « un tel combat », il veut dire : le malaise, l'inquiétude, le tourment d'exister. Seul parmi les animaux, écrit ainsi Pierre Legendre, l'homme « interroge sa présence, le fait même de sa propre existence[3] ». Sophocle, dans *Œdipe à Colone*, dit qu'il vaut mieux ne pas naître. Toutes les cultures sont portées par la question humaine par excellence : qui suis-je, pourquoi vivre, au nom de quoi ?

La manière la plus simple de caractériser l'homme est de dire que c'est un animal parlant, à la recherche d'un interlocuteur pour l'entendre et lui répondre, et dont il désire la reconnaissance. Comme le dit aussi Pierre Legendre, le fait « révolutionnaire » de l'espèce humaine est l'exigence de légitimité. Trahir n'est jamais simple pour un humain, même lorsque les circonstances l'y poussent. Une tension permanente s'installe chez lui entre l'honneur, la vertu, le devoir et leurs contraires :

---

1. Robert Frank, *The Darwin Economy*, Princeton University Press, 2011.

2. *Malaise dans la civilisation*, rééd. Seuil, coll. « Points », 2010.

3. *Ce que l'Occident ne voit pas de l'Occident, Conférences au Japon*, Mille et une nuits, 2004.

l'égoïsme, la lâcheté, l'hypocrisie. La culture, y compris l'art, exprime et aide à résoudre ce conflit qui traverse constamment l'histoire humaine.

« Nous sommes la seule espèce qui non seulement vit en société, comme les autres espèces animales, mais qui produit de nouvelles formes d'existence sociale et donc de culture pour continuer à vivre. Produire, et non pas reproduire la société, tel est le propre de l'homme ! » C'est la réponse proposée par Maurice Godelier, en conclusion d'un livre consacré à Lévi-Strauss[1]. Le jeu social des animaux n'évolue pas, ou peu. Pas de matchs de football, pas de violence vidéo ou de pornographie en ligne pour les jeunes singes. Nous, humains, jouons au fil des civilisations à modifier les règles. Nous pouvons changer de modèle de parenté, de fécondité, euphémiser (parfois) la violence qui est en nous. Le problème identifié par Georges Bataille[2] est toutefois le suivant : nous avons aussi tendance à prendre pour intangibles les règles que nous avons nous-mêmes créées, et préférons aller au bout des sociétés qui les ont constituées plutôt que de les changer.

---

1. *Lévi-Strauss*, Le Seuil, 2013.
2. *La Part maudite*, Éditions de Minuit, 1949, rééd. 2014.

L'exode

Il y a environ cent mille ans, une période d'aridité extrême a frappé l'Afrique tropicale[1]. L'humanité naissante est alors passée tout près de l'extinction. Elle est descendue à quelques (dizaines de) milliers de personnes. Puis la grande sécheresse a cessé. Les forêts tropicales et la savane ont repris progressivement leur luxuriance. Les meilleures conditions climatiques ont permis une augmentation de la population, laquelle a ouvert un couloir jusqu'au Nil et au Sinaï. Après être passé par la vallée du Nil, puis le Levant, l'*Homo sapiens* pénètre en Europe vers 40 000 avant notre ère, occupant le territoire déjà habité par une espèce sœur, le Neandertal, depuis quelque deux cent mille ans[2].

---

1. L'orbite solaire de la Terre n'est pas parfaitement circulaire, du fait de la force de gravitation des autres planètes. Cela explique les âges glaciaires : il y en a eu entre quarante et cinquante depuis la création de la planète, dont deux il y a cent quatre-vingt-dix mille et cinquante mille ans.

2. Avant que *Sapiens* ne parvienne en Europe, d'autres migrations avaient déjà eu lieu, vers l'Inde et l'Asie du Sud-Est, atteintes il y a cinquante-soixante mille ans.

Peu de temps après l'arrivée de *Sapiens*, Neandertal disparaissait, sans doute à cause de l'empreinte que le nouveau venu a infligée à l'écosystème de l'ancien[1]. À en juger par leur ADN, les néandertaliens pouvaient parler, pratiquer la « grande chasse » ; ils prenaient soin de leurs blessés et enterraient leurs morts. Parmi les hypothèses concernant les différences avec *Sapiens*, il est possible que la capacité de parole de Neandertal ait été moindre, bien qu'il ait disposé lui aussi du gène FOXP2 (responsable du langage), du fait peut-être d'une mauvaise position du larynx[2]...

L'invention de l'agriculture

Et puis vint le choc majeur : l'invention de l'agriculture, il y a dix mille ans (ensuite en huit endroits distincts), qui allait bouleverser la relation entre l'homme et la nature. Les modifications du climat ont joué à nouveau leur rôle. Un réchauffement climatique (vers 9600 avant notre ère) pourrait en avoir été la cause. Trois cents ans plus tard, l'orge et le blé sont cultivés dans la vallée du Jourdain, des graines de taille nettement plus grosse que les versions sauvages sont consommées. En « moins de mille ans », l'agriculture devient une science.

---

1. Au sud de la Sibérie, *Sapiens* a sans doute également contribué à l'extinction d'une autre espèce voisine, les Denisoviens, dont parle Francis Wolff.

2. Neandertal était massivement carnivore. Il disposait d'un cerveau supérieur au nôtre (1 520 cm^3 contre 1 350 pour nous). *Sapiens* partage de 1 à 4 % de ses gènes avec Neandertal, il y a donc eu promiscuité entre les deux espèces.

Les plats de lentilles et de pois chiches apparaissent. On apprend à coudre des vêtements. Les animaux sont également utilisés de manière plus efficiente. Il s'agit non plus de les tuer immédiatement pour leur viande, mais de les élever pour leur laine et leur lait, ou pour tirer des chariots.

Cette invention donne le coup d'envoi d'une explosion démographique qui est toujours en cours aujourd'hui, laquelle a écrasé la biodiversité, les autres espèces n'ayant aucun moyen de s'adapter à notre évolution en un temps si court. Entre dix mille et sept mille ans avant notre ère, la maîtrise de la pierre s'intensifie, les agriculteurs inventent la poterie, les premières machines à tisser, l'architecture[1]. Nous entrons dans le temps « court » de l'histoire. Le temps « profond » qui a transformé l'homme biologique ne joue quasiment plus aucun rôle. De rares mutations génétiques se produisent, tel le lactase, le gène qui permet la consommation de produits laitiers, mais elles sont mineures. Jared Diamond parle de l'un de ses amis d'origine aborigène, né dans un village tout droit sorti de l'âge de pierre et qui n'a eu aucune difficulté à s'intégrer à la société de l'écrit puis du numérique. « Autrement dit, conclut Diamond, et c'est une bonne

---

1. Tous les arts de *Sapiens* antérieurs à 50 000 ans sont répétitifs. Et puis, tout d'un coup, une formidable variété surgit. « Au moins six manières différentes de tailler la pierre ont été mises au jour dans la vallée du Nil, entre 50 000 et 25 000. L'humanité découvre le style ! » selon Ian Morris dans *Why the West Rules, for Now*, Princeton University Press, 2010 ; trad. fr. *Pourquoi l'Occident domine le monde… pour l'instant*, L'Arche, 2011. Je reprends dans les paragraphes qui suivent nombre de points présentés dans ce livre fascinant.

nouvelle, il n'y a pas eu besoin de modification génétique pour apprendre à lire et à piloter un avion[1] ! »

Il y a plusieurs théories possibles concernant la diffusion de l'agriculture. La première est que les chasseurs-
cueilleurs ont adopté spontanément l'agriculture, parce
qu'elle est plus efficace. La haute technologie chasse la
mauvaise. Une autre interprétation est plus violente.
La pression démographique des agriculteurs, plus nombreux car mieux nourris, refoule les sociétés moins
denses, comme *Sapiens* a peut-être refoulé Neandertal.
Les agriculteurs maoris ont ainsi exterminé leurs voisins
chasseurs-cueilleurs les Morioris (dans une région qui
se situe dans l'actuelle Nouvelle-Zélande). L'extinction
peut aussi se faire indirectement. Les fermiers détruisent
l'écosystème qui permettait aux chasseurs-cueilleurs de
vivre : les animaux sauvages fuient, les plantes sauvages deviennent inaccessibles. En définitive, dans le
cas occidental, le consensus scientifique semble être
le suivant : un fermier européen sur quatre avait des
origines étrangères, et trois sur quatre étaient des locaux
qui avaient changé de style de vie. Il est probable toutefois que le quart importé corresponde à des chefs de
guerre issus du Croissant fertile qui ont subjugué les
autres peuples. Dans tous les cas, par la force ou la
persuasion, une forme de darwinisme technologique est
à l'œuvre. La technique la plus puissante emporte tout
sur son passage.

---

1. Jared Diamond, trad. fr. *The World until Yesterday : What Can
We Learn from Traditional Societies ?*, Penguin, 2012 ; trad. fr. *Le Monde
jusqu'à hier*, Gallimard, 2013.

L'invention du pouvoir

Les chasseurs-cueilleurs et les premiers villages agricoles étaient égalitaires. Les chefs ne léguaient pas leur position de manière héréditaire. Les décisions importantes étaient prises de manière collective, lors de fêtes, de cérémonies religieuses... Dans son beau livre *La Société contre l'État*[1], l'anthropologue Pierre Clastres raconte la manière dont les Indiens Guayaki, en Amazonie, tiennent le pouvoir du chef en laisse, lui donnant celui de parler et de mourir en premier, mais jamais celui de décider.

Avec le travail agricole, une « grande transformation » est opérée. La société se hiérarchise, les chefferies apparaissent, donnant un pouvoir héréditaire aux dirigeants, lesquels vivent du surplus fourni par le reste de la population. La société s'organise autour de corps spécialisés : les soldats, les clercs, les prêtres, les paysans. Le sociologue américain Herbert Simon explique que les sociétés hiérarchiques sont capables de créer un fort niveau de complexité, dans la mesure (simple) où elles répètent plusieurs fois à l'identique la même structure de commandement[2]. Six échelons hiérarchiques permettent à un roi qui commande dix princes qui contrôlent dix barons qui commandent dix chevaliers, puis dix métayers et eux-mêmes dix paysans et à leur tour dix enfants, de contrôler un million de personnes. Au final, selon ce modèle, cent mille personnes du haut et du

---

1. *La Société contre l'État*, Éditions de Minuit, 1974.
2. Lire par exemple : Herbert Simon, « Organisations and markets », *Journal of Economic Perspectives*, 1991.

milieu de l'échelle contrôlent un million de paysans ou d'esclaves en bas.

Les hiérarchies se développent aussi entre les sexes. La division initiale du travail entre les chasseurs et les cueilleuses s'accentue avec le passage à l'agriculture. Lorsque la terre est abondante, hommes et femmes cultivent la terre d'une manière qui reste égalitaire. Lorsque la pression démographique augmente, le travail des champs gagne en intensité. Bon nombre de femmes sont pourtant aussi fortes physiquement que la moyenne des hommes, et de fait leurs tâches sont plus dures. L'archéologue Ian Morris, professeur à Stanford, a décrit les squelettes de cent soixante-deux habitants du village mésopotamien de Tell Abu Hureyra, datant d'une époque antérieure à l'agriculture. Les femmes et les hommes ont des vertèbres écrasées en haut du dos, signe que les unes et les autres portaient des charges lourdes, mais seules les femmes ont de l'arthrite aux pieds, du fait qu'elles moulaient le grain en même temps qu'elles faisaient de la couture. Avec l'agriculture, un profil inédit se met en place : les hommes font le travail extérieur, les femmes le travail intérieur. Alors que les sociétés de chasseurs-cueilleurs faisaient ressortir une certaine variété de situations concernant le statut des femmes, les sociétés agraires, partout, les dévalorisent, les cantonnant au rôle d'agents reproducteurs.

Naissance des empires

Qu'est-ce que l'Occident ? Le mot désigne l'espace géographique issu du Croissant fertile. La révolution agricole qui y a démarré en 9000 avant notre ère a atteint la Turquie en 8000, la Grèce en 7000, l'Italie en 6000, l'Europe centrale en 5000, la France en 4000. Il a fallu un millénaire pour franchir chaque frontière... Au sein du Croissant fertile, la Mésopotamie, entre le Tigre et l'Euphrate, a connu un destin singulier. Cette région qui couvre l'Irak d'aujourd'hui était chaude et humide. Les moussons venues de l'océan Indien apportaient la pluie, mais en faible quantité. Plus de vingt générations furent nécessaires pour passer d'une agriculture arrosée par les pluies à une autre, irriguée par l'eau des fleuves. Vers 3800, un (nouveau) refroidissement climatique réduit les moussons. La Mésopotamie s'est trouvée confrontée à un risque de collapsus. Elle y a fait face en perfectionnant son organisation socio-économique, grâce à un système d'irrigation encore plus complexe, permettant de stocker l'eau jusqu'à la période des moussons.

Gordon Childe a parlé de « révolution urbaine » pour caractériser la transformation que connaît la Mésopotamie au IVe millénaire avant notre ère. Uruk, l'Athènes de la période, en est la grande métropole. Ce n'est pas seulement une ville mais un État, capable de lever des impôts et de mobiliser les forces requises pour faire respecter son autorité. Les premières tablettes attestant de l'écriture correspondent à cette période. Ian Morris montre qu'Uruk est devenu le centre d'un réseau d'échanges vers la Syrie, la vallée du Nil, et jusqu'au plateau iranien. Uruk contrôlait un arrière-pays de villages reliés entre eux par un réseau dense de canaux qui permettaient de transporter les grains et les hommes vers la ville. On a parlé de « système-monde urukéen ».

Une histoire similaire s'est observée en Égypte. La diminution des moussons, en − 3800, a soulevé les mêmes défis. En réponse, vers − 3100, la vallée du Nil a connu une transformation politique majeure, conduisant au plus grand royaume connu de cette période, regroupant un million de sujets. La pyramide de Khéops à Gizeh, vers 2550 avant notre ère, est restée le plus haut édifice du monde (139 mètres) jusqu'à la cathédrale de Lincoln en 1311 (160 mètres). Ces deux empires, tard venus dans le monde agricole, ont longtemps dominé la région du Croissant fertile, en vertu d'une loi connue par les économistes comme « l'avantage d'être en retard » (*the advantage of backwardness*) énoncée par l'historien d'origine russe Alexander Gerschenkron. Être en « retard économique » donne une force qui tient au fait qu'on peut mettre toute son énergie dans l'imitation d'un autre, sans se perdre dans la multitude des chemins possibles[1].

À l'autre bout du monde, dans les vallées du fleuve Jaune au nord et du fleuve Bleu au sud, la culture du riz débute entre − 8000 et − 7500, et celle du millet vers − 6550. L'agriculture se diffuse ensuite dans l'ensemble des bassins limitrophes, puis vers l'ouest, vers la rivière Wei et la région de Qin. En 3800 avant notre ère, un climat plus froid et plus sec rend les vallées humides des fleuves Bleu et Jaune plus faciles à cultiver. La rupture climatique n'entraîne pas la discontinuité politique observée en Égypte et en Mésopotamie, mais elle crée une force nouvelle de même nature, celle des empires

---

1. *Economic Backwardness* in *Historical Perspective, A Book of Essays*, Harvard, University press, 1962.

« hydrauliques », plus organisés que ceux qui dépendent uniquement de la pluie.

L'Orient et l'Occident

Les deux extrémités du monde eurasien vont se développer en empruntant les mêmes étapes. Qu'il s'agisse de l'écriture, de la religion, des sacrifices, de la poterie, des monuments funéraires des dirigeants, du travail, de plus en plus intense (pour la majorité des populations), du stockage des aliments, des fortifications, de la domestication d'animaux tel le chien.

À mille cinq cents ans d'intervalle, l'Orient a suivi les mêmes étapes majeures que l'Occident. Quelques exceptions apparaissent toutefois. La poterie apparaît en Orient sept mille ans avant celle de l'Occident (signe peut-être d'une sédentarité plus ancienne que la découverte de l'agriculture). Inversement, les autels consacrés aux dieux apparaissent de manière plus précoce en Occident, presque six mille ans plus tôt[1]. Mais les ressemblances l'emportent largement. Selon l'anthropologue anglais Jack Goody[2], ce développement parallèle ne devrait pas surprendre. Les deux bords du monde eurasiatique ont créé des civilisations qui héritent toutes, outre l'agriculture, d'une source commune qu'il situe à l'âge du bronze,

---

1. Jouant un rôle décisif dans l'évolution mésopotamienne, les temples possèdent de vastes terres et assurent la redistribution de leurs récoltes. Les habitants de la Mésopotamie se sont instinctivement tournés vers les prêtres, comptant sur leur accès aux dieux pour savoir ce qu'il convenait de faire (Ian Morris, *Pourquoi l'Occident domine le monde…*, *op. cit.*).
2. Jack Goody, *Le Vol de l'Histoire*, trad. fr. Gallimard, 2010.

autour de 3000 avant notre ère[1]. Il est d'ailleurs possible que l'âge du bronze ait été importé d'Occident en Orient, ce qui expliquerait pourquoi le centre de gravité des premières dynasties chinoises s'est situé à l'intérieur des terres.

Une disposition essentielle explique la porosité des cultures au sein de l'espace eurasien. Comme le souligne Jared Diamond, l'Eurasie est dominée par un axe est-ouest, alors que les Amériques ou l'Afrique sont situées sur un axe nord-sud. Or l'axe est-ouest est, par définition, situé sur la même latitude, ce qui veut dire que les régions partagent les mêmes variations saisonnières. Le rythme de propagation des inventions touchant à l'agriculture y est par conséquent beaucoup plus rapide. L'Italie du Sud, l'Iran et le Japon ont beau être distants de six mille quatre cents kilomètres, l'agriculture y possède des caractéristiques climatiques communes. À l'époque du Christ, les céréales originaires du Croissant fertile poussaient sur une étendue de seize mille kilomètres, de l'Irlande au Japon ! Ainsi est né, dans son unité et sa diversité, ce qu'on pourra appeler la civilisation eurasienne. À l'inverse, le lama des Andes n'atteindra jamais l'Amérique du Nord, et le cheval ne franchira pas les obstacles sahariens pour atteindre les climats tempérés d'Afrique du Sud. La diffusion des savoirs au sein des continents situés sur l'axe nord-sud est beaucoup plus difficile.

---

1. L'âge du bronze conduit à des évolutions très proches : l'utilisation de la charrue, la traction animale, l'artisanat urbain ou encore le développement de l'écriture. L'Asie et l'Europe partagent aussi le système de la dot, soit sous forme d'héritage à la mort des parents, soit sous forme de dot au moment du mariage (à rebours du système africain où c'est la famille du futur marié qui offre services et richesses à la famille de la promise).

Une mesure de la complexité

Afin d'analyser l'évolution de l'Orient et de l'Occident au fil des siècles, Ian Morris a calculé un indice agrégeant plusieurs données, représentant ce que dirait le PIB aujourd'hui dc la richesse d'un pays. Le premier paramètre retenu est la capture énergétique dont une société est capable. Le second est sa capacité guerrière. Le taux d'urbanisation est un troisième critère. La base 1 000 est accordée, sur chaque échelle, au record connu dans l'histoire et l'espace[1].

Entre le Néolithique et 5000 avant notre ère, l'indice de Morris a doublé en Occident, et l'Orient a suivi la même évolution dans le millénaire et demi qui a suivi. Chacun des deux blocs de civilisation a buté sur un même seuil de complexité, qu'ils n'ont pu dépasser ni l'un ni l'autre (le seuil de 42/1 000). Au sommet de la dynastie Song, en 1150, la Chine atteint ainsi ce niveau de complexité, à partir duquel elle décline, tout comme la civilisation romaine un millénaire plus tôt... Il faudra attendre la révolution industrielle pour que cet indice soit dépassé, et pulvérisé, par l'Europe du XIXe siècle.

---

1. La plus grande ville connue est Tokyo : 27 millions d'habitants en 2000. L'Empire romain, en son temps, a atteint un million d'habitants. Chang'an, en Chine, était deux fois moins peuplé. Rome a donc la note (1/27) × 1000 et Chang'an deux fois moins. En termes d'énergie dépensée, les Américains détiennent aujourd'hui le record, avec 200 000 kilocalories par jour. Le seuil de subsistance pour le corps humain étant de l'ordre de 2 000 calories, le score le plus faible dans l'histoire humaine est donc de 10/1 000.

À suivre le parallélisme entre les deux bords du monde eurasiatique, doit-on conclure que les êtres humains ne sont que des robots passifs et sans ressources, programmés par la pluie, le climat, la faune et la flore ? « Ces craintes, répond Jared Diamond, sont bien entendu hors de propos. Sans l'inventivité des hommes, nous en serions encore tous à découper la viande avec des outils de pierre et à la manger crue… » Diamond note ainsi que bon nombre de découvertes fondamentales n'ont été faites qu'une seule fois. C'est le cas de « la roue à aube, la meule, l'engrenage, le compas magnétique, le moulin à vent et la chambre noire… », l'invention la plus géniale étant celle de l'alphabet, dont il semble bien qu'il ne soit apparu qu'une seule fois dans toute l'histoire humaine ! Elle est due à des locuteurs de langues sémitiques, vivant dans une région comprise entre la Syrie moderne et le Sinaï, au cours du IIe millénaire avant notre ère. Les centaines d'alphabets qui ont existé ou existent encore aujourd'hui sont tous dérivés de cet alphabet sémitique ancestral. L'alphabet n'était pas « nécessaire » aux sociétés agricoles : le génie humain, dans tout ce qu'il a d'imprévisible, est seul en cause, ainsi que sa formidable capacité d'appropriation des idées venues d'ailleurs…

Le 13 novembre 2026

Rousseau impute à l'agriculture et à la sidérurgie la cause des malheurs du monde civilisé. Reprenant le même thème, l'anthropologue Marshall Sahlins posera aussi (beaucoup plus tard) la question : « Pourquoi est-ce que l'agriculture a remplacé la chasse et la cueillette, si la récompense en a été : le labeur, les inégalités, la guerre[1] ? » Le paradoxe central de la civilisation agraire est en effet celui-ci : l'agriculture, faite pour mieux nourrir les humains, débouche (partout) sur une société où règne la famine ! Par quelle malédiction les humains transforment-ils un bien en un mal ?

Malthus, à la fin du XVIIIᵉ siècle, résumait l'histoire humaine par un mécanisme extrêmement simple : lorsque les hommes sont mieux nourris, ils se multiplient ! L'agriculture et les améliorations qui lui ont été apportées ensuite ont déclenché une explosion démographique qui a annulé le bénéfice initial d'une meilleure alimentation. Selon lui, l'humanité tend à croître

---

1. Trad. fr. *Âge de pierre, âge d'abondance. L'économie des sociétés primitives*, Gallimard, 1976.

de manière exponentielle aussi longtemps qu'elle est affranchie de la contrainte agricole, puis elle s'effondre lorsque les limites agraires sont atteintes. Si, par exemple, la population doublait tous les cent ans, cela voudrait dire qu'elle serait multipliée par mille en mille ans ! Or les terres cultivables sont défrichées à un rythme beaucoup plus lent. Irrémédiablement, la démographie est bloquée par la rareté agricole. Les famines, le désastre écologique sont le terme nécessaire des phases d'expansion.

L'histoire économique apparaît, sous ce jour, comme une sinistre alternance d'expansions et de crises. Expansions quand les ressources abondantes libèrent la démographie. Crises lorsque l'élan démographique bute sur la rareté des ressources. Mais toute tendance génère ses propres contre-tendances. Les humains deviennent certes trop nombreux, mais leur nombre même fait jaillir des idées nouvelles qui repoussent les limites du possible. Ester Boserup, une économiste danoise, a publié en 1965 un livre important, intitulé *The Conditions of Agricultural Growth*[1], dans lequel elle démontre que la pression démographique pousse à l'inventivité, laquelle tend à résoudre les problèmes posés par la surpopulation. Plus d'humains, plus d'idées, plus de ressources : une dynamique se met en place qui conjure la loi des « rendements décroissants » propre à l'agriculture.

Michael Kremer, professeur à Harvard, dans un article décisif, « Population growth and technological change[2] »,

---

1. Trad. fr. *Évolution agraire et pression démographique*, Flammarion, 1970.
2. Michael Kremer, « Population growth and technological change », *Quarterly Journal of Economics*, 1993.

a montré que les théories de Malthus et Boserup, loin d'être contradictoires, se conjuguaient dans l'histoire. Les humains vont jusqu'au bout de leurs capacités alimentaires (Malthus), mais les repoussent tout aussi constamment grâce à une inventivité stimulée par un nombre croissant d'individus (Boserup). Pour finir, la planète est peuplée d'une masse croissante d'humains affamés ! À suivre les calculs de Kremer, la population ne croît donc pas de manière exponentielle comme le pensait Malthus, mais plus vite encore ! C'est le taux de croissance lui-même qui augmente, comme dans une réaction nucléaire.

Le problème est que ce processus semblait bel et bien destiné à exploser au bout d'un temps fini... Ainsi, une extrapolation a-t-elle été faite de la croissance démographique telle qu'elle a été observée au cours des dix mille dernières années[1]. L'étude a conclu que la population terrestre était programmée pour devenir infinie et exploser *le 13 novembre 2026* ! En utilisant les coefficients calculés par Kremer (qui a estimé de manière indépendante ses propres paramètres), on trouve une estimation qui n'est pas très éloignée, avec une explosion prévue pour le milieu du XXIe siècle.

Nous y échapperons, mais pour des raisons qui tiennent au miracle d'une transition démographique que personne, sur le moment, n'avait prévue ou comprise...

---

1. Allen Johnson et Timothy Earle, *The Evolution of Human Societies*, Stanford University Press, 1987, étude citée par David Christian, *Maps of Time : An Introduction to Big History*, California Press, nouv. éd. 2005. Jusqu'à l'ère chrétienne, la population croît de 0,016 % par an. Le taux de croissance va être progressivement multiplié par cent ensuite !

Dans les pays industrialisés tout d'abord, le monde entier ensuite, les humains ont brutalement réduit leur natalité ! Ainsi, un fait imprévisible, et dont les causes sont aujourd'hui encore très controversées, a sauvé l'humanité d'un effondrement programmé.

La voie maudite

Les humains avaient-ils trouvé dans la reproduction démographique le débouché au supplément d'énergie que la meilleure alimentation leur a offert ? Ian Morris le laisse entendre. Dans *La Part maudite*, Georges Bataille, mieux connu pour ses essais sur l'érotisme, le suggère aussi, reprenant la question sous un angle nouveau.

Pour Bataille, l'origine des civilisations humaines se trouve dans un principe énergétique simple. « La source et l'essence de notre richesse sont données par le rayonnement du Soleil qui dispense l'énergie – la richesse – sans contrepartie. » De même que l'herbivore est, par rapport à la plante, un luxe – et le carnivore par rapport à l'herbivore –, l'homme est de tous les êtres vivants le plus apte à consumer intensément, luxueusement, l'excédent d'énergie que la nature lui offre. « L'histoire de la vie sur la Terre, explique ainsi Bataille, est principalement l'effet d'une folle exubérance : l'événement dominant est le développement du luxe, la production de formes de vie de plus en plus onéreuses. »

Pour Bataille, les sociétés humaines absorbent l'excédent énergétique dont elles disposent d'une manière qui est elle-même totalement arbitraire. La démographie n'en est que l'une des modalités. Les Aztèques ont ainsi construit d'immenses pyramides en haut desquelles ils immolaient des êtres humains. « Leur conception du monde s'oppose de façon diamétrale et singulière à la nôtre, mais ils n'étaient pas moins soucieux de sacrifier que nous ne le sommes de travailler. » La victime est un surplus pris dans la masse de la richesse utile. Elle est, dès qu'elle est choisie, la *part maudite* promise à la consumation violente. Le potlatch des Indiens d'Amérique du Nord est un autre exemple de situation où le don solennel de richesses considérables offertes par un chef à son rival a pour but de l'humilier, le défier, l'obliger à la réciprocité… « La vie dans la dilapidation est appropriée par le prestige qu'elle donne au dilapidateur. »

Les Tibétains sont en apparence à l'antipode de ce système, ne disposant pas même de la nécessité de se défendre. Leur « solution » à la dilapidation de l'excédent fut de donner la totalité du surplus aux monastères, maintenant en vie une masse de consommateurs stériles. Partout, les sacrifices, les fêtes, les guerres résorbent l'énergie excédentaire d'une société. Le monde moderne le réserve à l'outillage industriel… « J'insiste, conclut Bataille, sur le fait qu'il n'y a pas généralement de croissance, mais seulement sous toutes les formes une luxueuse dilapidation d'énergie ! »

Et de conclure ainsi : « Ce que l'économie générale définit est le caractère explosif de ce monde, porté à l'extrémité de sa tension explosive dans le temps présent. » Les sociétés n'ont d'autres voies que d'aller « de toutes parts au bout de leurs possibilités », sans jamais comprendre la loi qui les guide : dilapider le surplus, la part maudite, qu'elles ont constitué.

Naissance de la monnaie

La monnaie est l'un de ces instruments qui ont engagé l'histoire humaine dans un processus de croissance cumulative, à l'image notamment de l'écriture. Elle est inventée au début du VIe siècle avant notre ère, dans le royaume de Lydie. Hérodote fait remonter l'histoire de la monnaie à Gygès, le fondateur de la dynastie des Mermnades. Un tableau de Jacob Jordaens, de 1646, le montre caché derrière un rideau, en train de contempler la beauté nue, nimbée de lumière, de la reine. Celle-ci est l'épouse de Candaule, un roi si fier de sa femme qu'il voulut la montrer à son vassal. La reine, ayant vu Gygès l'observer, lui avait offert le choix suivant : tuer le roi, ou se tuer lui-même pour l'injure qu'il lui avait faite[1]. Il choisit de tuer Candaule. Un peu plus tard, la Lydie inventait la monnaie. Crésus sera le dernier et le plus célèbre représentant de cette dynastie.

---

1. Platon donne une version différente de l'histoire. Gygès est un berger qui découvre un anneau le rendant invisible, ce qui lui permet de se rendre au palais du roi, où il séduit la reine.

Hérodote, qui décrit cet épisode aux origines de son enquête, ne trouve aucun élément qui permette de comprendre pourquoi ce furent les Lydiens et non les Grecs qui inventèrent la monnaie. Les deux peuples avaient les mêmes passe-temps, jouant aux jeux inventés le plus souvent par les Grecs, sauf le « trictrac », précise Hérodote, que les Lydiens avaient inventé au cours d'une grande famine. Tout juste note-t-il qu'en Lydie « toutes les filles se prostituent pour gagner leur dot, et ce jusqu'au jour où elles trouvent un mari, qu'elles choisissent d'ailleurs elles-mêmes ». La prostitution des jeunes filles qui veulent constituer une dot serait-elle la cause ultime de l'invention de la monnaie ? Hérodote le suggère mais sans s'y attarder...

L'Égypte, la Mésopotamie, les temps bibliques n'ignoraient certes pas la « monnaie », écrit ici entre guillemets, suivant l'usage du livre lumineux de Georges Le Rider, *La Naissance de la monnaie*[1]. Mais il s'agissait d'une « monnaie » anonyme, des lingots d'or et plus souvent d'argent, qui ne présentaient que l'inconvénient de devoir être pesés régulièrement, ce qui ne semble pas avoir constitué un problème majeur. La monnaie d'État, poinçonnée par le roi, change radicalement la portée de l'instrument. Elle n'est plus une marchandise parmi d'autres, elle devient la source d'un langage nouveau, universel. C'est un moyen de communication qui réalise pour la richesse ce que l'écriture permet pour les connaissances : le stockage. Mais, comme l'écriture, elle fait davantage. Elle institue un langage neuf, source d'ailleurs des mêmes malentendus. Le langage n'est nul-

---

1. PUF, 2001.

lement un moyen « neutre », « objectif », de désigner les choses. Il produit un monde propre en mettant des mots sur des idées qui n'existeraient pas sans lui. Ainsi en va-t-il de la monnaie. Elle invente le langage de la richesse.

Un langage nouveau

La monnaie crée ainsi, par sa seule existence, une syntaxe nouvelle, dont la signification anthropologique a été brillamment exposée par Michel Aglietta et André Orléan[1]. Privées de celle-ci, les sociétés ne connaissent que des rapports sociaux dircts. Le spécialiste de la communication Paul Watzlawick explique ainsi qu'un chat qui miaule devant un réfrigérateur ne dit pas à son maître : « Donne-moi du lait », mais : « Comporte-toi comme une mère[2] ». De même, l'échange, lorsqu'il est privé de la monnaie, ne peut s'extraire du cercle des relations sociales, destinées à instaurer des alliances ou des rapports de subordination.

Dans une relation monétaire, c'est exactement le contraire qui se produit. Un paiement en monnaie permet de clore une relation. Je te paie, nous sommes quittes ! L'anthropologue Gordon Childe considère ainsi que l'introduction de la monnaie frappée a permis d'échapper à une absolue dépendance à l'égard du

---

1. Michel Aglietta et André Orléan, *La Monnaie entre violence et confiance*, Odile Jacob, 2002.

2. Paul Watzlawick *et al*, *Une logique de la communication*, trad. fr. Le Seuil, 1972.

groupe. Je peux acheter une marchandise à un inconnu que je ne reverrai jamais. En fait, si je pense que je ne le reverrai jamais, il faut que je le paie en monnaie[1]. Grâce à elle, pas besoin de sourire à son boulanger pour obtenir du pain, dira Adam Smith. La monnaie permet de se libérer des liens avec autrui. Le problème est qu'elle ne dit rien de la manière de les reconstituer ensuite. Dès le départ, les échanges monétaires marchent sur le fil de cette contradiction. Ils permettent des relations entre des personnes qui ne se connaissent pas, mais ces réseaux ne sont en fait jamais aussi efficaces que lorsqu'ils s'appuient sur des liens solidaires au sein d'un groupe donné[2].

Selon Polanyi, l'économie monétaire a longtemps été « encastrée » (*embedded*) dans la société. À ses yeux, l'économie n'a pas représenté un domaine véritablement distinct jusque tard dans l'histoire, arguant qu'il faudra en fait attendre la « grande transformation » du XIXᵉ siècle pour que l'économie se « désencastre » de la société. Laurence Fontaine, dans son beau livre *L'Économie morale*[3], montre ainsi que, jusqu'au XVIIᵉ siècle, le crédit garde une signification très différente de la nôtre. On prête à quelqu'un qu'on oblige ensuite, sans avoir toujours le souci rigoureux d'être remboursé, alors même que l'Europe est déjà de plain-pied dans une révolution commerciale. L'économie,

---

1. C'est le thème du livre de John Kareken et Neil Wallace, *Models of Monetary Economies*, Federal Reserve Bank of Minneapolis, 1980.

2. Sur ce thème, lire Avner Greif, *Institutions and the Path to the Modern Economy : Lessons from Medieval Trade*, Cambridge University Press, 2006.

3. Gallimard, 2008.

comme discipline intellectuelle à part entière, émerge elle aussi sur le tard. Il faut véritablement attendre le XVIIIe siècle pour que les idées qui forment la base du raisonnement économique, la production, l'investissement, la rente et les profits, s'intègrent dans un discours ordonné.

La monnaie reste de fait longtemps marquée d'une défiance sourde à l'égard de celui qui s'en sert pour outrepasser son statut. Le plus souvent, en Orient comme en Occident, les marchands étaient d'origine modeste, entretenant peu de rapports avec la vie de la cité. Un métèque à Athènes pouvait accumuler une richesse considérable, mais cela ne faisait pas grande différence quant à son niveau de vie. « Exclu de la possession d'une terre ou d'une maison, il ne pouvait ni élever des chevaux, ni donner des fêtes, ni construire de manoir. Les riches métèques, qui étaient d'ailleurs peu nombreux, menaient une vie sans éclat[1]. » Longtemps dans l'histoire, la monnaie rimera de fait avec métèque et constituera une menace latente pour l'ordre traditionnel des sociétés.

La monnaie et l'État

Pour autant, les marchés ne sont pas sortis tout armés de la révolution industrielle. La plupart des historiens relativisent aujourd'hui les thèses de Polanyi. Le commerce, de proximité ou au long cours, a très vite constitué une dimension importante des sociétés

---

1. Karl Polanyi, *La Subsistance de l'homme*, rééd. Flammarion, 2011.

de l'Antiquité[1]. Selon Goody, « les marchands avaient leur importance, que ce soit pour l'État ou pour eux-mêmes, dès les toutes premières sociétés urbaines de la Mésopotamie et de l'Amérique centrale. Les rois akkadiens intervenaient pour protéger les marchands qui s'aventuraient à l'étranger. Chez les Aztèques, les refus de l'échange commercial constituaient un élément déclencheur d'hostilités ». Opposer la réciprocité (de l'*oïkos*, de l'économie domestique) à l'échange mercantile est simplificateur. Dès l'âge du bronze, on observe partout le développement des villes, de l'artisanat, d'une « bourgeoisie » vivant du commerce. L'extension du crédit constitua l'une des premières applications de l'écriture en Mésopotamie, en Chine et ailleurs. « L'idée très répandue selon laquelle les droits concernant la propriété privée sont une invention du droit romain néglige les autres sociétés. En Chine, la pratique était courante – depuis les Tang – de contrats écrits liant deux parties entre elles[2]. »

Car la monnaie est fille de l'État. Celui-ci a eu très vite besoin d'un moyen de collecter les impôts autre-

---

1. Deux types de commerce ont toujours existé : le commerce au long cours et le commerce de proximité. Ce dernier porte sur les articles de première nécessité, textiles et articles domestiques ; le premier sur les articles de luxe, qui sont la première nécessité des puissants : l'or, le cuir, les pierreries et les esclaves… L'agora, le bazar sont des exemples de marché de proximité où l'on trouve du lait frais et des œufs, du poisson et de la viande. Le commerce au long cours a d'abord été le fait d'ambassades qui procèdent à des échanges de cadeaux, utilisant les conventions de l'économie coutumière. Il reste bien souvent une alternative à la razzia, sans cloison nette entre les deux exercices.

2. Jack Goody, *Le Vol de l'Histoire*, *op. cit.*

ment qu'en nature. Être payé en poules ou en moutons n'est pas très utile à qui veut construire un État capable d'entretenir une armée et une police ! Il a besoin de la monnaie pour briser, à sa manière propre, les relations de réciprocité, faites de dons et d'échanges en nature. Il a besoin d'un moyen de paiement « universel » pour financer son administration. L'État, pour paraphraser Pierre Clastres, est contre la société, comme Lévi-Strauss montrait déjà que la société elle-même se construisait contre la famille.

La voie gréco-romaine

La Grèce emprunte une voie originale. Dans l'Athènes de Périclès, les grands propriétaires offraient des repas gratuits, en nature, mais Périclès lui-même, au nom de l'idée démocratique, fit en sorte que tous les citoyens se voient attribuer un subside en numéraire pour s'approvisionner sur le marché. Lui-même vendait en une seule fois ses propres récoltes de l'année, puis achetait sur l'agora, au fur et à mesure, ce dont il avait besoin. Les propriétaires fonciers de la Grèce antique ne méprisaient nullement le commerce quand il s'agissait de leur intérêt propre. Le sol de l'Attique étant mieux adapté à la production de l'huile et du vin, la Grèce a dû importer ses céréales. Les propriétaires fonciers vendaient leurs productions viticoles contre celles-ci, pour nourrir leur « manoir ». Ce commerce fut aussi crucial à l'Antiquité que le commerce pétrolier l'est aujourd'hui pour les économies industrialisées. Très vite, pour cette raison même, et comme Polanyi l'a souligné, le prix d'échange fut régulé, parfois par décret, et non laissé à un libre marché. Mais dans son sillage s'est construit un vaste commerce méditerranéen qui n'était pas « administré[1] ».

Puis le monde grec devint romain. En l'espace d'une vie humaine, Rome, petite république d'Italie centrale, devint maîtresse du monde méditerranéen et en mobilisa très vite les ressources à son profit. L'Égypte et les Gaules étaient responsables de l'approvisionnement en blé, du Moyen-Orient venait le textile, de Grèce les amphores, d'Espagne la métallurgie[2]. Les Romains ont repris et généralisé sans difficulté l'héritage grec en matière de monnaie et de droit. Eux-mêmes, extraordinairement constitutionnalistes, étaient de grands législateurs qui n'eurent aucun mal à intégrer le droit commercial grec[3]. En dépit du mépris aristocratique à son encontre qui perdure à Rome de manière aussi tenace qu'à Athènes, le commerce est vite devenu une part intégrante de l'Empire.

Rome est connue pour « le Pain et le Cirque » qu'elle offrait à la plèbe. Mais, tout comme la spectaculaire Cité interdite reste la trace visible de la splendeur de la

---

1. Vers Athènes affluent, comme plus tard vers Londres, des biens venus de partout. Polanyi lui-même en donne une description imagée : « Des épées et des coupes de Chalcédoine, de l'ail de Mégare, du gibier et de la volaille de Béotie, du fromage et du porc de Syracuse, des raisins et des figues de Rhodes, des glands et des amandes de Paphlagonie, de la moutarde de Chypre, des tapis et des oreillers de Carthage, de l'encens de Syrie, des chiens de chasse d'Épire. » Karl Polanyi, *La Subsistance de l'homme, op. cit.*

2. Cf. Pierre Bezbakh, in *Le Monde de l'économie*, 29 avril 2003.

3. John Hicks, *Théorie de l'histoire économique*, trad. fr. Le Seuil, 1969.

Chine, ces dépenses civiles ou somptuaires ne doivent pas masquer le fait que la principale dépense de l'Empire était son armée, laquelle exigeait de collecter l'impôt en monnaie. Rome a fait commercialiser par des intermédiaires le blé qu'elle recevait en nature. Les monopoles accordés à la commercialisation du sel et du fer font aussi partie des stratégies fiscales de l'État pour remplir ses caisses. Ce qu'on appellera beaucoup plus tard, aux XVIe-XVIIe siècles, le mercantilisme – une alliance des marchands et des rois contre les puissances féodales – est en fait, dès l'origine, une pratique constante des États.

Le droit et la monnaie livreront une syntaxe qui se révélera une ressource précieuse pour l'Europe de la Renaissance, et lui serviront de boussole pour s'engager dans la voie nouvelle d'une économie régie par le commerce. Les chemins, autrefois parallèles, de l'Orient et de l'Occident vont alors se séparer, au moins pour un temps. La raison majeure de cette (première) grande divergence sera la suivante : en Occident, l'Empire ne survivra pas aux invasions barbares, alors qu'il tiendra le choc dans le cas chinois[1]. Ces circonstances initiale-

---

1. Au début de l'ère chrétienne, les deux Empires romain et chinois gouvernaient à eux seuls la moitié du monde. Aux portes des deux empires, les Barbares se tiennent prêts à agir, et dans les deux cas, ils ont fini par occuper une moitié de chacun des deux territoires (l'Europe occidentale pour Rome, le nord du pays pour la Chine), tandis que l'autre moitié (Byzance en Occident, le Sud en Chine) restait dans les mains d'un pouvoir traditionnel. Des deux religions qui surgissent dans ces périodes de troubles, le christianisme et le bouddhisme, seul le premier gardera son pouvoir. La restauration Tang remet en place la religion de l'empire, le confucianisme. En Occident, le christianisme prospérera en lieu et place de l'empire disparu.

ment défavorables deviendront les sources de l'avantage ultérieur de l'Occident. La crise lui permettra de faire une marche arrière spectaculaire qui le fera sortir de la voie où le système romain, fondé sur l'esclavage et pauvre en technologies, l'avait engagé[1].

Au sortir d'une longue période d'hibernation, l'Occident va découvrir une voie inédite qui l'amènera à une découverte aussi importante que l'agriculture en son temps : la révolution industrielle.

---

1. C'est le thème du livre d'Aldo Schiavone, *L'Histoire brisée. La Rome antique et l'Occident moderne*, Belin, 2009 (1re édition 1996).

Le vol de l'histoire

L'histoire occidentale a longtemps été présentée sans nuances comme allant de la Grèce de Périclès à l'Europe de Dante et de Galilée pour aboutir à celle de James Watt et d'Adam Smith. Elle aurait incarné la marche triomphale de l'homme occidental vers la liberté et la prospérité, face au système oriental où la volonté du despote a fait plier la volonté de tous et maintenu le peuple dans la misère. L'Occident aurait ainsi disposé seul des ressources philosophiques (grecques), morales (chrétiennes), scientifiques (galiléennes) et économiques (celles des banquiers de Gênes, Florence, Amsterdam, Londres) qui lui ont permis d'inventer la modernité. L'Europe est également créditée, selon ce récit, d'avoir inventé l'amour (courtois puis romantique), la discipline intérieure (le « self-control ») et la liberté (au sens des droits de l'homme et de la démocratie parlementaire), bref l'individu au sens plein et entier d'aujourd'hui...

Analysé dans le détail, l'édifice ainsi construit s'effondre vite. La Grèce et Rome n'ont, en réalité, jamais fait preuve d'une grande inventivité technologique. Le travail servile a représenté le socle de l'activité économique, enfermant la Rome antique dans une impasse, incapable d'utiliser les connaissances d'un Archimède pour autre chose que des machines de guerre. Longtemps, le mépris antique pour le commerce (et les minorités auxquelles il était délégué) a empli l'imaginaire occidental, survivant dans l'interdit chrétien de l'usure. On chercherait en vain les sources de la prospérité économique au sens où on l'entend aujourd'hui dans l'héritage grec ou chrétien.

Les travaux de Jack Goody, Ian Morris ou Amartya Sen ont également remis en question l'idée selon laquelle l'amour, la morale universaliste ou la liberté auraient été des « inventions » occidentales. Il suffit de lire la littérature chinoise ou indienne pour se convaincre du contraire.

L'amour et l'attachement sentimental sont ainsi reliés parfois à l'individualité, à la liberté (de choisir son partenaire) et seraient selon certains historiens une invention récente, qui remonte au Moyen Âge, celle de l'amour courtois chanté par les troubadours... Mais en Chine, à suivre Jack Goody, dès le IIIe siècle avant notre ère, *Le Livre des odes* constitue une première anthologie de poésie amoureuse. À la différence de ce qu'il était pour l'Occident chrétien, l'amour n'est pas un péché en Chine ou au Japon, mais une valeur à célébrer. Le Cantique des Cantiques est aussi un chant d'amour (qu'on a voulu rendre allégorique). Le genre de la poésie amoureuse a également été très répandu dans l'ensemble du monde musulman (*Le Collier de la colombe* en est un exemple, rédigé par le poète Ibn Hazm en 1022). Et Goody de conclure : « L'idée que les troubadours furent les premiers à faire de l'amour "non plus un péché mais une vertu" vaut peut-être pour l'Europe médiévale, mais elle est indéfendable lorsqu'on replace les choses dans un contexte mondial[1]. »

De même, le passage de la honte à la culpabilité a été présenté comme l'un des marqueurs de l'Occident. Une société régie par la honte est tenue par la pression externe du regard des autres. La culpabilité marquerait le passage à une société caractérisée par une intériorisation de la contrainte sociale. Selon le sociologue Norbert Elias, son origine se situerait en Occident dans le passage du féodalisme à l'État absolutiste. C'est au cours de cette période que se serait produit un « saut civilisationnel » qui tiendrait une grande part dans l'explication du miracle occidental. Pour construire sa démonstration, Elias décrit magnifiquement la manière dont la société de cour a « civilisé », pacifié les mœurs des aristocrates, lesquelles se sont répandues ensuite, via la bourgeoisie, dans les autres couches de la société. Son récit présente toutefois une faiblesse majeure : en prenant la violence médiévale comme point de départ de la civilisation occidentale, il fait tout simplement l'impasse sur le cycle qu'ont vécu les Occidentaux après la chute de Rome et ne propose aucune comparaison avec les autres civilisations[2]. De surcroît, le XVIe siècle à partir duquel Elias date le début du processus de civilisation européenne est

---

1. Jack Goody, *Le Vol de l'Histoire*, *op. cit.*

2. La violence endémique de la société féodale est elle-même le produit historique de la chute de l'Empire romain. Les chevaliers sont eux-mêmes devenus *plus violents* avec l'apparition de concurrents à leur pouvoir militaire, lorsque les États se dotèrent d'armées de mercenaires qui mirent fin à la guerre féodale.

en réalité le début d'une formidable période de guerres et de massacres[1] ! Selon l'historien Robert Muchembled, ce serait en fait ce cycle de violence extrême, lequel durera jusqu'à la guerre de Trente Ans (1618-1648), qui permettra à l'État de s'arroger définitivement le monopole de la violence légitime[2]. Mais rien ne prouve ici non plus une spécificité européenne.

En Chine, à suivre Goody, « l'évolution des mœurs se traduit par des rituels complexes par lesquels on se salue ou on prend soin de son corps. Les contraintes de la vie de cour (la cérémonie du thé par exemple) contrastent avec la spontanéité de la vie paysanne ». Toutes ces évolutions témoignent d'un « processus civilisationnel » qui n'a rien à envier à celui de l'Occident. À condition de bien prendre en compte les phases du cycle historique, de formidables parallélismes sont à l'œuvre. Les codes de bonnes manières, l'émergence d'une bourgeoisie qui rêve de rejoindre l'aristocratie s'observent aux deux extrémités du monde eurasiatique.

Comme l'ont montré les travaux de Kenneth Pomeranz et de ce qu'on appelle l'école de Californie, nul obstacle substantiel, d'ordre philosophique ou matériel,

---

1. Un commentateur acide a fait remarquer que la date de parution du livre d'Elias, 1939, convenait mal à l'idée d'une pacification de l'Occident (voir le livre de Ian Morris, *War*, Princeton University Press, 2014). Un éloge passionné de la théorie d'Elias, repris en partie par Morris, est donné dans le livre de Steve Pinker, *The Better Angels of Our Nature*, Viking, 2011.

2. C'est aussi une période de régression, au cours de laquelle l'usage des bains recule. L'idée de Malthus selon laquelle seuls les Occidentaux auraient appris, grâce au mariage tardif, à contrôler leur natalité a été totalement réfutée par les démographes.

ne s'opposait, dès le XIVe siècle, à une transition chinoise vers le capitalisme, relativement en tout cas à la situation européenne. Dans le domaine agricole, la Chine se caractérisait par une très grande efficacité et des marchés très bien intégrés. Sur le terrain du marché du travail, il n'y avait pas d'obstacles comparables à ceux que les corporations ont dressés en Europe[1]. Résultat aussi d'une politique délibérée : le travail des femmes est plus fréquent. D'où l'éternelle question : pourquoi est-ce en Occident que surgira la croissance économique moderne ?

Apogée et déclin chinois

Reprenons le récit. Après la chute de Rome, l'Occident entre dans une longue période d'hibernation. Il découvre en se réveillant que le reste du monde a continué de vivre sans l'attendre… La Renaissance européenne qui commence aux XIe-XIIIe siècles est emplie de la fascination pour l'Orient. Les voyages de Marco Polo la font rêver. Venise construira sa prospérité sur le commerce avec l'Orient et c'est sur son modèle que les grandes villes marchandes (Gênes, Amsterdam, Londres) bâtiront ensuite leur fortune. C'est à la découverte d'une

---

1. Le « miracle occidental », selon Fernand Braudel, tient principalement à la renaissance urbaine. Les villes cessent d'être les lieux de résidence de l'aristocratie, pour devenir ce qu'il appellera un modèle original de villes « libres », « autonomes », « industrieuses ». J. Laurent Rosenthal et R. Bin Wong ont toutefois montré (*Before and Beyond Divergence*, Harvard University Press, 2011) que la paix relative qui régnait en Chine explique en fait pourquoi les « entrepreneurs » chinois ne sentaient pas le besoin de localiser leurs activités en ville, sous la protection des murs.

voie vers les Indes que part Christophe Colomb. Tout peuple eurasien qui aurait fait cette découverte aurait sans doute aussi bien réussi à coloniser l'Amérique que ne l'ont fait l'Angleterre, l'Espagne ou le Portugal[1]. En 1405, l'amiral Zheng He avait ainsi conduit trois cents bateaux, vingt-sept mille marins, cent quatre-vingts médecins de Nankin au Sri Lanka et en Afrique. Zheng utilise des boussoles, il dispose de navires ravitailleurs en eau potable. Colomb ne dispose que de trois bateaux, quatre-vingt-dix marins, manque de réservoirs d'eau fraîche et n'a pas de boussole. Mais la Chine interrompt ses voyages : elle n'était pas spécialement intéressée de découvrir une voie nouvelle vers l'Europe, c'est la réciproque qui était vraie.

Les grandes inventions sur lesquelles l'Occident va reprendre son essor sont la boussole (pour naviguer), l'imprimerie et le papier (pour diffuser les savoirs), et la poudre (pour mener les guerres). Elles sont toutes chinoises ! La Chine était de fait toute proche au XIVe siècle d'une révolution industrielle semblable à celle qui se développera en Europe quatre siècles plus tard. Sous les Song, aux XIe et XIIe siècles, la Chine dépasse Rome et, selon Morris, connaît son âge d'or. De nouveaux produits apparaissent sur les marchés, biens agricoles mais aussi « papier, chanvre, soie et feuilles de mûrier ».

Mais cette renaissance sera brisée par un facteur externe, sa mise à sac par les Mongols au XIVe siècle. L'une des causes de l'essor occidental tiendra d'ailleurs

---

1. En vertu de la supériorité que confère l'axe est-ouest sur l'axe nord-sud, si l'on suit la démonstration de Jared Diamond.

à la fin de la menace mongole, lorsque Ivan le Terrible fermera au XVIe siècle cette espèce d'autoroute entre l'Orient et l'Occident qu'est la steppe russe. Le sac mongol sera fatal à l'industrie chinoise, laquelle régressera ensuite relativement à la situation au XIVe siècle, sans jamais retrouver son rythme antérieur, malgré la restauration de l'empire sous les Ming. Selon Pomeranz, le déclin industriel chinois tiendrait à un accident géographique : l'invasion mongole poussera vers le sud le centre de gravité intellectuel et politique de la Chine, alors que les réserves de charbon, qui seront décisives dans le cas anglais, sont situées au nord.

L'essor de l'Occident

Ce n'est pas l'amour courtois ou la discipline intérieure qui expliquent l'essor de l'Occident mais bien davantage la guerre permanente que se livrent les grandes puissances européennes. Toutes sont habitées par le même rêve hégémonique de reconstituer la splendeur de Rome. « Qu'est-ce que l'Europe ? Un acharnement de voisins qui se battent », écrit ainsi Leibniz. La quasi-guerre civile que se livrent les puissances européennes, dans une fascination mimétique les unes pour les autres, est la spécificité occidentale. Des armées de mercenaires de plus en plus nombreuses remplacent les guerres féodales où quelques barons rejoignaient, quarante jours par an, leurs suzerains sur les champs de bataille. Le besoin d'argent des monarques se diffuse à l'ensemble de la société, comme il l'avait fait dans l'Antiquité. Les États, déjà perclus de dettes pour payer leurs mercenaires, feront naître un capitalisme financier destiné à absorber une dette publique qui ne cessera de croître. Celle-ci sera l'une des rares composantes du capitalisme inventées par l'Europe de cette époque !

La guerre fait accomplir des progrès considérables en matière d'artillerie et de navigation. Cet avantage se révélera précieux lorsque, à la suite des découvertes des grands explorateurs, la guerre européenne se projettera sur les autres continents. Conquérir le monde s'avère en effet beaucoup plus facile que dominer le reste de l'Europe. Telle est la découverte que font aux XVIᵉ-XVIIᵉ siècles les grandes puissances du continent, période au cours de laquelle l'Atlantique remplace la Méditerranée comme nouvelle *mare nostrum*[1].

L'économie politique, un terme forgé par un auteur français, Antoine de Montchrestien, l'un des fondateurs de ce qu'on appellera l'école mercantiliste, naît au cours de cette période. Pour ces auteurs, le commerce est la continuation de la guerre par d'autres moyens. Il faut que les nations vendent plus qu'elles n'achètent, pour faire entrer autant d'or que possible dans le territoire. Les mercantilistes veulent démontrer aux princes que les marchands sont leurs meilleurs alliés. L'idée n'est certes pas neuve, les rois de l'Antiquité ne l'ignoraient pas. Mais l'emprise sur l'ensemble de la société va devenir autrement plus profonde.

---

1. Leibniz prolonge ainsi l'analyse des puissances européennes : « Leur fureur première se tourne vers le dehors : à l'Espagne, l'Amérique du Sud ; à l'Angleterre et le Danemark, l'Amérique du Nord ; à la Hollande, les Indes orientales ; à la France, l'Afrique. »

L'éthique protestante et l'esprit du capitalisme

Les grandes découvertes vont accélérer le mouvement en provoquant l'apparition d'un vaste système commercial. L'Asie fournit des épices, des textiles et de la porcelaine. L'Amérique fournit de l'or, du sucre et du tabac. Et l'Afrique donne le tiers odieux de cet échange planétaire : elle vend des esclaves contre les produits de basse qualité (relativement à ceux venus d'Asie) que l'Europe lui fournit. Le point d'orgue de la transformation de la société féodale en une société mercantile est atteint en Angleterre, avec le mouvement des « *enclosures* » au XVIIe siècle, lorsque les lords anglais n'hésitent pas à chasser les paysans de leurs champs pour y faire brouter des moutons et à vendre leur laine à des tisserands hollandais[1]. Robert Castel a formidablement décrit cette période, au cours de laquelle le travail est « désaffilié » des liens ancestraux, et fait l'expérience historique nouvelle de ce qui deviendra beaucoup plus tard le salariat[2].

C'est l'époque où Calvin dédiabolise la richesse, au sens quasi littéral : le fait d'être riche n'est pas l'œuvre du

---

1. La République hollandaise a déplacé la géographie économique de l'Europe du sud au nord. Elle organise le commerce régulier avec la Pologne, drap contre blé, puis l'étend progressivement à l'Espagne et au Portugal. Les villes italiennes, qui dominaient le commerce du textile et le crédit au Moyen Âge, perdent progressivement pied face à la concurrence hollandaise, qui est redoublée ensuite par l'Angleterre. L'Angleterre est d'abord dans l'orbite commerciale des Pays-Bas, exportant la laine de ses moutons pour qu'ils soient traités par les Flamands, avant de remonter progressivement la chaîne de valeur.

2. *Les Métamorphoses de la question sociale*, Fayard, 1995.

diable, explique-t-il, mais la preuve de l'élection divine !
La cupidité est encore un péché à cette époque. Luther
lui-même méprisait le négoce et maintenait contre l'usure
la malédiction traditionnelle de l'Église. Les marchands
calvinistes sont affranchis de cet interdit, mais doivent
constater la bienveillance céleste à leur endroit sans en
tirer aucune fierté personnelle : glorifier Dieu exigeait
de nier leur propre gloire. Ils devaient « humblement »
accepter d'être riches !

Calvin, selon une formule brillante de Tawney (citée
par Bataille), sera à la bourgeoisie de Genève ce que
Marx sera au prolétariat, la promesse d'un monde
à venir qui lui appartienne. Tawney observe toutefois que le calvinisme imposait plutôt une dictature
collectiviste là où il dominait. Il faudra attendre la
venue des puritains anglais, dans la seconde moitié du
XVIIᵉ siècle, pour que cette (jeune) tradition débouche
sur la libre poursuite du profit. Quand Guillaume
d'Orange, en 1688, chassera Jacques II (qui se réfu-
giera en France), l'accord conclu à Genève entre capitalisme et religion passera alors par Londres et forgera
ce que Max Weber interprétera comme l'esprit du
capitalisme.

L'apparition des machines

S'il fallait choisir un élément circonstanciel qui soit
responsable de la transformation de l'économie européenne, ce serait la Peste noire du XIVᵉ siècle. Équi-
valente pour le système féodal au krach de 1929
pour le capitalisme occidental, elle bouleverse tout. Le

nombre de paysans est brutalement réduit, changeant en leur faveur l'équilibre entre les hommes et la terre. La crise donne aux paysans la possibilité d'échapper à leur condition servile, en allant louer leurs services au plus offrant. Partout en Europe, elle provoque une hausse des salaires, lesquels vont doubler par rapport aux niveaux habituels.

La libération du joug alimentaire sera toutefois de courte durée. Très vite, la croissance démographique reprenant, l'Europe reviendra au niveau de population qui avait été le sien avant la Grande Peste. Avec la reprise démographique, le retour des salaires à la « normale » est engagé. Il est acquis à peu près partout au cours du XVIIe siècle. Deux pays seront toutefois protégés de ce reflux : les Pays-Bas et l'Angleterre. Les salaires y restent proches des sommets atteints après la Peste noire. L'historien de l'économie Robert Allen montre ainsi que les hommes du peuple, dans l'Angleterre du XVIIIe siècle, peuvent acheter du pain blanc, du bœuf, de la bière et ces biens de luxe que sont un miroir, du sucre ou du thé. À l'inverse, à Florence par exemple, un homme du peuple mangeait du pain au XVe siècle. Au XVIIIe siècle, il ne pouvait plus s'offrir que de la polenta à base de maïs, fraîchement importé d'Amérique[1].

Les raisons pour lesquelles les salaires restent élevés aux Pays-Bas et en Angleterre tiennent à plusieurs facteurs. Ces deux pays vont davantage profiter des flux commerciaux qui naissent dans le sillage des explora-

---

1. Robert Allen, *The British Industrial Revolution in Global Perspective*, Cambridge University Press, 2008.

tions des XVIe-XVIIe siècles[1]. Parallèlement, leurs agricultures expérimentent plus vite que le reste de l'Europe de nouvelles techniques, grâce à une science nouvelle, en matière de rotation des cultures notamment.

Pour Allen, des salaires aussi faibles que ceux qui ont généralement été observés dans l'histoire ne créent aucune incitation au développement industriel : pourquoi mécaniser le travail quand le travail ne vaut rien ? Cette question, qui a creusé le tombeau économique de Rome, incapable de s'affranchir du travail servile, reste cruciale dans l'Europe des XVIIe et XVIIIe siècles. C'est la rupture introduite par la Grande Peste qui a créé une bifurcation. À la veille de la révolution industrielle, vers le milieu du XVIIIe siècle, les salaires anglais sont 60 % supérieurs à ceux de la France. Cette situation aura pour conséquence d'accroître considérablement l'incitation à mécaniser le travail.

Ce sont donc les salaires élevés qui expliqueraient la révolution industrielle et non pas l'inverse ! Allen analyse ainsi l'une des machines clés de la transformation

---

1. Les Pays-Bas et l'Angleterre vont déloger le Portugal du commerce avec l'Asie. Les Hollandais font de Djakarta la capitale de l'Empire asiatique qu'ils enlèvent aux Portugais. Puis c'est au tour des Anglais de créer leur empire au détriment des Hollandais. Plusieurs guerres plus tard, les Anglais prennent New York aux Hollandais (en 1664) et s'installent le long de la côte atlantique, du Maine à la Géorgie. Ils exportent du tabac, du riz, du blé vers l'Angleterre. En 1770, la population anglaise d'Amérique atteint 2,8 millions de personnes : la moitié de la population métropolitaine. Le commerce avec les colonies va doper les économies anglaise et néerlandaise. À la veille de la révolution industrielle, la part de la population agricole dans l'emploi anglais est déjà tombée en dessous de 45 %.

de l'industrie textile anglaise, celle qui fut inventée par Arkwright, premier grand succès commercial pour filer le coton. Selon ses calculs, le retour sur investissement d'une Arkwright est de 40 % en Angleterre. En France, le rendement n'y aurait été que de 9 %. Les salaires étant plus faibles, il est moins rentable de substituer des machines au travail humain. Il faudra attendre le XIXe siècle pour que ces machines ingénieuses s'améliorent, et que leur coût de revient les rende profitables aux pays à moindres salaires telle la France.

Nous sommes aux portes du monde moderne. Les machines pointent leur nez et bientôt la machine à vapeur va bouleverser le quantum d'énergie que les industriels anglais mobiliseront pour faire fonctionner leurs usines[1]. Ce qui va toutefois donner à l'Occident une force ascendante, qui permettra au processus initial de s'amplifier au lieu de s'étouffer, comme ordinairement dans l'histoire, c'est la révolution scientifique, le deuxième big-bang de l'histoire humaine, qui allait bouleverser la compréhension du monde et devenir rapidement la locomotive de la vie économique.

---

1. L'urbanisation anglaise et néerlandaise avait augmenté la demande d'énergie. Le prix du bois ayant explosé, des produits de substitution sont cherchés : aux Pays-Bas, ce fut la tourbe, en Angleterre, le charbon.

Du monde clos à l'univers infini

Lorsque l'Europe sort de l'hibernation qui a suivi la chute de Rome, elle découvre que le reste du monde a continué de progresser dans le domaine des arts et des sciences. Les médecins et les philosophes arabes tiennent le haut du pavé. Un moment clé se produit lorsque la grande ville islamique de Tolède tombe dans les mains d'Alphonse VI, roi de Castille, en 1085. S'engage alors un processus éperdu de traduction en latin des œuvres scientifiques grecques et arabes. La soif de connaissance est immense. En presque deux cents ans, le travail est accompli. L'Europe est prête à jouer sa partie.

Aristote, redécouvert grâce aux traductions arabes, a joué un rôle paradoxal dans la formation de l'esprit scientifique européen. Il permet à saint Thomas d'affirmer que la raison n'est pas l'ennemie de la foi, ce qui ouvre une brèche dans laquelle l'esprit scientifique va s'engouffrer. Mais Aristote raisonnait en termes téléologiques : la nature des choses s'explique par leur finalité (j'ai une main pour prendre une pomme, et non pas : je peux prendre une pomme parce que j'ai une main). Aristote en déduisait par exemple que les corps lourds doivent tomber plus rapidement que les corps légers. Il faudra attendre que Galilée lance une pierre du haut de la tour de Pise (selon la légende) pour montrer que cela n'est pas vrai. Aristote pensait aussi que le vide absolu était impossible. Le secrétaire et disciple de Galilée, Torricelli, invente le baromètre permettant de mesurer la pression atmosphérique et démontre l'existence du vide au-dessus de la colonne de mercure qu'il utilise[1]. La révolution galiléenne va ainsi réaliser une conjonction révolutionnaire du raisonnement pur et de l'expérimentation. Ce mariage sera, comme dira Einstein, le miracle improbable de la science moderne[2].

Paradoxalement, le fait que l'Église déclare en 1277, par la voix de l'archevêque de Paris, que nombre d'opinions aristotéliciennes étaient hérétiques va libérer la réflexion. Dès le XIVe siècle, Buridan (dont l'âne est célèbre) et Oresme, son disciple, posent les principes qui vont permettre ensuite à Copernic de provoquer

---

1. La pression atmosphérique est l'un des thèmes de prédilection des savants du XVIIe siècle. Poursuivant dans la voie ouverte par Torricelli, Huygens et von Guericke ont montré qu'en créant le vide dans un cylindre, la pression de l'atmosphère y ferait entrer un piston. Denis Papin a utilisé ces intuitions pour fabriquer la toute première machine à vapeur en 1675, suivi par Newcomen en 1712 (après douze ans d'itération). James Watt reprit le flambeau.

2. L'idée que des lois gouvernant la nature peuvent être découvertes grâce à l'expérimentation sera mise à profit par les industriels. L'inventeur du « chronomètre », John Harrison, était lecteur d'un traité directement inspiré des leçons de Newton. Voir Joel Mokyr, *The Gifts of Athena*, Princeton University Press, 2002.

sa propre révolution[1]. Aristote explique qu'il faut que l'Univers tourne autour de la Terre. Buridan le défie sur une base purement spéculative. Si c'était le contraire, les choses se présenteraient à nous exactement de la même manière. Et d'expliquer pourquoi : si un premier bateau tourne autour d'un autre, il peut parfaitement croire que c'est le second bateau qui tourne autour de lui. Buridan recule toutefois devant la conclusion que c'est bien la Terre qui tourne, car, dit-il, une flèche lancée en l'air ne pourrait pas retomber au même endroit. Et c'est son élève Nicolas Oresme qui expliquera pourquoi cet argument ne suffit pas, puisque la flèche profiterait de la vitesse de la Terre.

Il y aurait donc une genèse, à situer au Moyen Âge, à la pensée scientifique de Galilée et de Newton. Lynn White, spécialiste de cette période, a déclenché une belle controverse en suggérant que le christianisme était en fait à l'origine de cette mutation[2]. Il inverse le point de vue habituel selon lequel rien ne serait arrivé d'un point de vue scientifique entre 500 et 1500, à cause de l'influence néfaste du christianisme (l'idée, par exemple, que la Terre était ronde, admise sans problème par Aristote, a été perdue du fait de l'Église…). Le christianisme, par la foi donnée par la Bible d'un monde créé par Dieu, incite au contraire, selon White, à comprendre Dieu en comprenant la nature. Au Moyen Âge : « *Natura, id est*

----

1. Je reprends dans les paragraphes qui suivent les développements précieux de Dominique Bourg et Philippe Roch (dir.), *Crise écologique, crise des valeurs ?*, Labor et Fides, 2010.

2. Lynn White, « The historical roots of our ecologic crisis », *Science*, 1967.

Deus. La Nature, c'est Dieu, elle *exprime* des lois établies par Dieu. Les Occidentaux héritent d'une tradition selon laquelle la Terre est l'écriture autographe de Dieu[1] ».

Pierre Legendre écrit ainsi que « la Bible a fonctionné avec la puissance irrésistible d'un mythe fondateur, donnant la clé d'un monde à déchiffrer. [...] En Occident comme partout, nous sommes les enfants du passé. Mais en Occident, depuis le Moyen Âge, ce passé annonce une révolution imminente[2] ». Pour les penseurs de l'Antiquité, l'idée que le monde a un commencement et une fin est en contradiction avec leur conception d'un temps cyclique. La conception biblique du temps rompt avec ce schéma. Elle rehausse le rôle de l'homme comme étant à l'image de Dieu. Avec le christianisme, un pas de plus est franchi : Dieu lui-même s'incarne dans un homme, son fils. Pour Lynn White, le christianisme est la religion la plus anthropocentrique qui existe. Elle instaure une séparation entre l'homme et la nature qui rend possible la science moderne et, toujours selon White, serait ainsi à l'origine du désastre écologique actuel (rappelons que son article a été rédigé en 1967[3] !).

Mais est-ce vraiment le christianisme en tant que tel qui est à l'origine de la révolution scientifique ? L'Église

---

1. Selon James Hannam, le dieu de la Bible n'est pas fantasque comme les dieux olympiens. La nature qui est son œuvre est marquée de cette perfection qui autorise à la comprendre. Voir James Hannam, *The Genesis of Science : How the Christian Middle Ages Launched the Scientific Revolution*, Regnery, 2011.

2. Pierre Legendre, *Ce que l'Occident ne voit pas de l'Occident*, *op. cit.*

3. Philippe Descola fait remonter (beaucoup) plus haut dans l'histoire les sources de la division occidentale entre nature et culture : *Au-delà de nature et culture*, Gallimard, 2005.

orthodoxe, par exemple, n'est pas allée dans la voie empruntée par l'Europe occidentale. La conception de Descartes, Galilée et Newton est que la nature ne *vit* pas, qu'elle est comme une machine que l'homme peut actionner, comme une horloge mécanique. C'est une pensée inconcevable pour la tradition orthodoxe pour laquelle Dieu est pleinement présent dans le monde, de manière bien réelle, perceptible par le *noûs*, l'esprit, qui est, selon les Pères, une faculté suprarationnelle qui rend l'humain capable d'accéder à la réalité ultime des choses[1].

Comme pour le capitalisme, il serait futile de ramener la révolution scientifique à une intuition jaillie tout armée de l'Europe du XVIIe siècle. Les Grecs maîtrisaient l'astronomie de Ptolémée, mais ne l'ont jamais appliquée à des fins utiles, pour la navigation par exemple. Ils

---

1. Les Chinois, qui disposaient d'un avantage net sur l'Occident dans le domaine des techniques industrielles et agricoles, n'ont pas renoncé à comprendre l'univers comme habité par un esprit *(qi)* et refusent de l'imaginer construit comme une horloge (voir Dominique Bourg et Philippe Roch, *Crise écologique, crise des valeurs ?, op. cit.*). Ce n'est pas par manque d'intérêt. Dès 1644, quand les Mandchous prennent Pékin, les jésuites gagnent une compétition publique pour prévoir la prochaine éclipse. Le jeune empereur Kangxi, venu au pouvoir en 1668, se jette plusieurs heures par jour dans l'étude de l'arithmétique, de la géométrie et de la mécanique. Mais la rencontre fut ratée. Le pape s'inquiète que les jésuites promeuvent davantage l'astronomie que le christianisme et les fait surveiller. Kangxi se vexe, ouvre sa propre académie, et le lien est rompu. Le Japon, après la révolution Meiji de 1868, prendra à l'inverse la mesure des réformes nécessaires pour rejoindre l'Occident, faisant de l'éducation une priorité : en 1890, deux tiers des garçons et un tiers des filles reçoivent une éducation primaire complète.

pensaient qu'on pouvait comprendre le mouvement des étoiles, mais non la trajectoire d'une pierre[1]. « À la pensée [des Grecs et des Romains] échappait la possibilité de reconnaître le monde sensible comme territoire de la raison, de le dominer et de le contrôler au moyen de la vérification expérimentale.[2] » À l'autre bout du monde eurasien, les Chinois ont développé une science d'une profondeur incomparable, analysée en détail dans les sept volumes denses publiés par Joseph Needham[3], mais davantage tournée vers la résolution des problèmes pratiques. Il est possible que le mariage improbable dont parle Einstein doive beaucoup à la connexion de ces deux traditions. L'Occident apporte son obsession personnelle, la croyance dans le monde des idées, et l'Orient son pragmatisme dans la compréhension technique du monde...

De l'espérance divine à l'idée de progrès

La révolution scientifique a provoqué un basculement de la conception de l'univers comme un espace mathématique, à la fois infini et vide. Alexandre Koyré dira dans son grand livre *Du monde clos à l'univers infini* qu'elle a fait parcourir à l'esprit humain, tout au moins à l'esprit européen, une révolution spirituelle très profonde qui modifia les fondements et les cadres mêmes

---

1. Roger-Pol Droit, *L'Occident expliqué à tout le monde*, Le Seuil, 2008.
2. Aldo Schiavone, *L'Histoire brisée, op. cit.*
3. Joseph Needham, *La Science chinoise et l'Occident*. Résumé de l'œuvre complète, trad. fr. Le Seuil, 1973.

de notre pensée[1]. « Les uns parleront de crise de la conscience européenne. Les autres de la sécularisation de la conscience, la substitution au souci de l'autre monde de l'intérêt porté à celui-ci [...] Les historiens de la philosophie mettront l'accent sur la découverte par l'homme de sa subjectivité essentielle. Les historiens de la littérature décriront le désespoir et la confusion que la philosophie nouvelle apportait dans un monde où toute cohérence avait disparu, et dans lequel les cieux ne clamaient plus la gloire de l'Éternel. »

Le Grand Siècle, comme on appelle le XVIIe, est pétri de doutes et d'angoisses. Que vaut la vie humaine si elle est privée de l'espérance divine ? Paul Hazard, dans le livre publié en 1935 auquel Koyré faisait allusion, *La Crise de la conscience européenne*, montre la vitesse à laquelle se produit, en quelques décennies, qu'il situe entre 1680 et 1715, le changement de mentalité européenne[2]. « La majorité des Français pensaient comme Bossuet ; tout d'un coup, ils pensent comme Voltaire. Les notions les plus communément reçues, celle du consentement universel qui prouvait Dieu, celle des miracles, étaient mises en doute. On reléguait le divin dans des cieux inconnus et impénétrables ; l'homme et l'homme seul devenait la mesure de toutes choses. À une civilisation fondée sur l'idée de devoir, les "nouveaux philosophes" ont essayé de substituer une civilisation fondée sur l'idée de droit : les droits de la conscience individuelle, les

---

1. Alexandre Koyré, *Du monde clos à l'univers infini*, Gallimard, 1962, rééd., coll. « Tel ».

2. *La Crise de la conscience européenne, 1680 1715*, rééd. Le Livre de poche, 1994.

droits de la critique, les droits de la raison, les droits de l'homme et du citoyen. »

C'est au XVIIIᵉ siècle que la philosophie des Lumières apporte une réponse au vide créé au siècle précédent, en adoptant une nouvelle foi : le progrès, qui prend la place de l'espérance chrétienne d'une rédemption à venir. À l'idée d'un âge d'or mythique où les hommes auraient mené une existence proche des dieux sans labeur et sans peine, qui fut un thème dominant de la littérature antique, les Lumières substituent un même idéal mais sous la forme d'un avenir possible. À suivre ainsi Frédéric Rouvillois, « la plupart des religions écrites contiennent l'idée d'un âge d'or, d'un paradis ou d'un jardin naturel, dont l'humanité a dû un jour s'exiler. Une telle idée explique un regard tourné vers le passé, ainsi, dans certains cas, que l'espoir d'un nouveau commencement. [...] C'est seulement depuis les Lumières et l'extension de la sécularisation que le monde est gouverné par l'idée d'une marche vers quelque chose de différent, quelque chose à quoi l'on n'osait pas rêver[1] ».

Montesquieu explique ainsi qu'en s'éloignant de l'âge d'or primitif, l'homme perd sa simplicité et sa frugalité, son innocence, sa liberté et son égalité naturelles, mais que la loi et la raison peuvent lui redonner cette vertu disparue. L'optimisme de Montesquieu éclate lorsqu'il affirme : « Dans l'état de nature, les hommes naissent bien dans l'égalité ; mais ils ne sauraient y rester. La société la leur fait perdre, et ils ne redeviennent égaux que par les lois. » Le poète allemand Hölderlin exprime la même idée : « Il existe deux états idéaux : l'extrême

_____

1. L'*Invention du progrès, 1680-1730*, CNRS, 2010.

simplicité où par le seul fait de l'organisation naturelle, sans que nous y soyons pour rien, nos besoins se
trouvent en accord avec eux-mêmes, et l'extrême culture
où le même résultat est atteint − grâce à l'organisation
que nous sommes capables de nous donner[1]. »

Pour Montesquieu ou Rousseau, la loi rationnelle,
le contrat social, doit se substituer aux lois arbitraires.
La quête éternelle de l'homme qui est de trouver sa
place parmi les autres, la réconciliation, dans le langage
de Hegel, du « singulier et de l'universel », atteint sa
destination lorsque chacun sait qu'il obéit à des lois
qui sont justes, car fondées sur la Raison. L'espérance
cartésienne d'une science qui permette d'être « comme
maître et possesseur de la nature » débouche sur celle
où l'homme devient aussi maître et possesseur de la
société où il vit.

Mais aucun de ces auteurs n'imagine que ce soit
par la richesse matérielle que l'homme va progresser.
Rousseau, dans l'*Émile*, rejoignant Montaigne, met en
garde contre le fait que « la misère ne consiste pas
dans la privation des choses, mais dans le besoin qui
s'en fait sentir ». Les Lumières restent dans l'ensemble
méfiantes vis-à-vis de l'idée de progrès matériel, tout
comme l'était déjà Aristote à l'égard de l'argent. Au
XVIIIᵉ siècle, malgré la révolution calviniste, la cupidité
est toujours considérée comme un vice, même si on la
reconnaît parfois comme un bien dans la mesure où
elle détourne les hommes de la violence (c'est l'idée
majeure de Montesquieu).

---

1. Cité par Charles Taylor, dans son *Hegel et la société moderne*,
Cerf, 1998.

Même les Lumières écossaises, celles dont Adam Smith sera l'un des membres éminents, font l'éloge des marchés comme principe d'organisation sociale, mais ne songent guère à y nicher l'idée de progrès, au sens moral du terme où ils l'entendent tous. La conception d'une croissance perpétuelle n'est d'ailleurs pas encore élaborée. Montesquieu impute la richesse à des facteurs comme le climat. Selon Adam Smith, il s'agit pour son époque de passer (et de rester) à une nouvelle phase du développement économique : l'ère commerciale, après la première phase des chasseurs-cueilleurs, la seconde, du pâturage et la troisième, de l'agriculture[1].

Smith est en fait préoccupé des conséquences négatives que la spécialisation du travail risque d'entraîner sur la moralité ouvrière. « La dextérité du travailleur à sa tâche est acquise aux dépens de ses vertus intellectuelles, morales et maritales[2]. » Et de recommander, en prévention du risque moral, que soit créé un système d'école publique universelle. Smith a peut-être l'intuition que la société industrielle va proposer bien autre chose que le passage d'une société agraire et autoritaire à une société de commerce et de tolérance. Et de fait, elle se prépare à créer son propre monde,

---

1. Smith choisit l'exemple célèbre d'une fabrique d'épingles française pour illustrer son idée de la division du travail. Celle-ci n'est pas spécialement à la frontière des techniques, alors qu'il a sous les yeux l'industrie textile anglaise. La machine à vapeur n'est pas citée non plus mais, il est vrai, le prototype le plus célèbre est mis au point l'année où *La Richesse des nations* est publiée…

2. « *This dexterity at his own particular trade seems, in this manner, to be acquired at the expense of his intellectual, social and marital virtues.* »

bien éloigné de celui que les paisibles marchands de Genève avaient imaginé.

À l'aube du monde moderne

Le monde vieillit, « *Mundus senescit* », disait saint Augustin. Il voulait dire par là que le monde doit se préparer à la mort et les hommes à la résurrection[1]... Mais vieillir, pour un humain, signifie plus prosaïquement ceci : la vie passe de plus en plus vite. Chacun en a fait ou en fera l'expérience : une année d'un quinquagénaire passe cinq fois plus vite que celle d'un enfant de dix ans... Et tel est bien le sentiment que donne l'histoire du monde : celle d'une accélération qui a certes changé de forme, mais qui se poursuit inexorablement.

À suivre ainsi le futurologue Ray Kurzweil, chaque étape majeure de l'histoire humaine vient dix fois plus vite que la précédente. Les hominidés surgissent (en arrondissant les chiffres) il y a dix millions d'années, *Homo erectus* il y a un million d'années, *Homo sapiens sapiens* il y a cent mille ans, l'agriculture il y a dix mille ans, l'imprimerie il y a mille ans, l'électricité il y a cent ans, Internet il y a dix ans[2]. Les grandes étapes du progrès humain – le feu, les objets en pierre, l'agriculture – ont mis plusieurs milliers d'années à se déployer.

---

1. Lire les commentaires de Jacques Le Goff, *Faut-il vraiment découper l'histoire en tranches ?*, Le Seuil, 2014.

2. Comme on l'a vu, les hominidés apparaissent en fait il y a sept millions d'années, *Homo erectus* il y a un million et demi d'années, les Chinois inventent l'imprimerie en 868 et Gutenberg en 1450...

L'imprimerie a mis plus d'un siècle. Aujourd'hui, les smartphones se sont imposés à la planète en une décennie.

La révolution industrielle qui surgit en Angleterre dans le dernier tiers du XVIIIe siècle a longtemps été décrite comme un événement unique, lié aux circonstances improbables dont elle a bénéficié. Cette vision est, à certains égards, rassurante : il y aurait à l'origine du capitalisme une manie singulière, protestante (?) – l'accumulation de richesses – qu'il devrait être aisé d'infléchir... Il est plus juste de voir dans la croissance économique moderne le produit d'une longue maturation, dans l'espace et dans le temps, de l'histoire humaine.

La vision eurocentrique de la croissance est devenue intenable à l'heure où la plupart des civilisations sont en passe de s'industrialiser. L'accélération du temps s'impose désormais partout. Et c'est bien dans ce train lancé à grande vitesse que l'humanité doit affronter, de manière imprévue, le défi nouveau de la finitude du monde.

L'AVENIR, L'AVENIR !

II.

La singularité est proche

« Le XIXe siècle, qui avait commencé avec les voiliers et les bougies, s'est achevé avec les transatlantiques, l'électricité, les automobiles et le téléphone. Au début du XXe, les femmes mouraient en couches, les enfants en bas âge, la tuberculose restait une condamnation à mort. Hygiène, habitat, travail, éducation sont dans un état déplorable ou inexistant. » Comme le résume Aldo Schiavone, spécialiste de l'Antiquité, la liste des inventions à mettre au crédit du siècle passé est incroyable : « Radio, radar, télévision, énergie atomique, électroménager, transistor, ordinateur, homme sur la Lune, tourisme de masse, photographie digitale, TV haute définition, Internet, jeux vidéo, web 2.0, rayons X, anesthésie, sulfamides, aspirine, antibiotiques, pilule, chimiothérapie, greffes, manipulations génétiques, décryptage du génome[1]... »

Le cœur du mystère est là : la croissance du revenu par habitant était faible, voire inexistante, avant 1750. En 1850, plus rien n'est comparable. Les Européens

---

1. Aldo Schiavone, *Histoire et Destin*, Belin, 2009.

fracassent le seuil établi par Ian Morris sur lequel les Romains et les Song avaient été bloqués, passant sur son échelle indicielle de 40 à 90, et laissant sur place les autres civilisations. Les Pays-Bas au XVIIIe siècle, l'Angleterre au XIXe siècle, les États-Unis au XXe siècle sont à tour de rôle les pionniers de leur époque. À chaque étape, la croissance économique ne cesse de progresser : 0,5 % au XVIIIe siècle, 1 % au XIXe, 2 % au XXe. La croissance pourrait-elle être au XXIe siècle deux fois plus forte qu'au siècle précédent, et atteindre 4 % ?! Si l'on s'appuie sur les données de Kremer analysant la croissance démographique, la hausse continue du taux de croissance est une hypothèse séduisante. Elle est défendue par les théoriciens de la « croissance endogène », pour lesquels un mécanisme autocatalytique de même nature est désormais à l'œuvre entre la richesse et la croissance de celle-ci[1].

Ray Kurzweil, futurologue du MIT, radicalise cette idée d'une richesse en expansion. Le temps s'accélère aujourd'hui comme hier[2]. À ses yeux, la prochaine étape viendra en 2020, lorsque les ordinateurs passeront le test de Turing, qui consiste à détecter si un humain peut distinguer s'il s'adresse à un ordinateur ou à un autre humain. Les circuits électroniques vont un million de fois plus vite que

---

1. Les principaux théoriciens de la croissance endogène sont Paul Romer, Robert Lucas, Philippe Aghion, Peter Howitt, Elhanan Helpman et Gene Grossman.

2. *The Singularity is Near*, Viking Press, 2005, trad. fr. *Humanité 2.0 : La bible du changement*, M21 éd., 2007.

les circuits électrochimiques utilisés par les cerveaux humains. Selon lui, la croissance exponentielle des technologies permettra bientôt de simuler parfaitement le cerveau. Viendra le moment où l'on pourra garder sur une clé USB la totalité de la mémoire qu'il contient ! On pourra « sauvegarder » sa mémoire, changer de corps (peut-être) et recouvrer sa conscience par la suite[1]... Ce sera plus tard toute l'intelligence humaine qui deviendra stockable ! Ce sera la singularité. L'intelligence humaine saturera l'Univers.

Kurzweil annonce pour 2060 rien de moins qu'une transition brutale dans l'espèce humaine. Les nanotechnologies permettront à des « nanobots » (des robots à l'échelle moléculaire) d'inverser le vieillissement. « De même qu'il existe des cellules souches de sang qui produiront toujours des cellules sanguines, ou des cellules souches du muscle, on découvre qu'il existe des cellules souches neurales. Il y a un potentiel de régénération du cerveau, de conservation d'au moins une fraction de notre population de neurones. » Selon Kurzweil, un monde transhumain est en train d'advenir. Ses pronostics rejoignent ceux de Craig Venter, fondateur de la société Celera Genomics, spécialiste de la recherche génétique. Lorsqu'on reprochait à ce dernier de « jouer à être Dieu », il aurait répondu : « Nous ne jouons pas ! »

---

1. Ce n'est évidemment pas la même chose que l'immortalité. Imaginez que soit consignée dans un grand livre la totalité de vos connaissances et émotions. Celui qui le lira héritera de votre « moi », mais vous ne survivrez pas grâce à lui...

Darpa (Defense Advanced Research Projects Agency), le département du ministère de la Défense américain à l'origine d'Internet, a pris très au sérieux le projet transhumaniste. Il a lancé son *Brain Interface Project* pour construire des ordinateurs à partir d'enzymes et de molécules d'ADN, plutôt que de silicone, pour pouvoir les implanter dans le cerveau de ses soldats ! Un projet financé par la NSF (Nation Science Foundation, le CNRS américain) promet des réseaux télépathiques (network-enabled-telepathy), qui seraient disponibles dès 2020. Darpa a par ailleurs lancé un défi (le Robotics Challenge) à la communauté scientifique : développer un robot capable de conduire une voiture, de nettoyer le trottoir, de monter sur une échelle, de fermer une valise et de remplacer une ampoule...

Les NBIC (nanotechnologies, biotechs, informatiques et sciences cognitives) cherchent le graal qui permettra de détecter à l'avance les maladies génétiques, et de procéder à des thérapies correspondantes. Le fondateur de PayPal, Peter Thiel, y investit une partie de sa fortune. Bill Gates est quant à lui fasciné par les recherches sur les prothèses (il a généreusement fait don de l'essentiel de sa fortune à une fondation qui mobilise des ressources supérieures à celles de la Banque mondiale sur le terrain sanitaire).

La croissance perpétuelle

Les théoriciens de la « croissance endogène » aiment citer les thèses de Kurzweil, car elles illustrent parfaitement leurs théories expansionnistes[1]. La loi de Moore (fondateur de Intel), selon laquelle la puissance des microprocesseurs double tous les dix-huit mois, a désormais pris la place de la croissance démographique au sein des lois fondamentales de l'économie. Elle a été énoncée en 1965, dans un article de la revue *Electronics Magazine* (dans la prévision de 1965, Moore pariait à l'origine sur un doublement tous les ans). Elle fait penser à une légende rappelée par Kurzweil, concernant l'invention du jeu d'échecs, dans l'Inde du VIe siècle, sous le règne d'un empereur gupta. Pour le féliciter, celui-ci demande à l'inventeur quelle récompense il désire. Ce dernier lui répond qu'il souhaite qu'on recouvre l'échiquier de grains de riz en mettant un grain sur le premier carré, deux sur le deuxième, quatre sur le troisième (en termes mathématiques, le résultat est 2^{64}-1 grains de riz, soit 1.84×10^{19}…).

---

1. L'accélération de la croissance économique, à l'image de ce que fut hier celle de la population, est le fait majeur que les théoriciens de la « croissance endogène » mettent en évidence. Ils notent que pour les onze pays les plus riches, entre 1700 et 1978, la probabilité que la croissance augmente d'une décennie à une autre est toujours supérieure à 50 % (proche de 70 % en France et aux États-Unis !). Dans cet ordre d'idées, l'économiste William Nordhaus a calculé, dans un exemple parlant, la baisse du coût de la lumière… Entre – 38000 et 1750, le coût de la lumière n'a baissé au total que de 17 %, en passant d'un éclairage à base de graisses animales ou d'huiles végétales au pétrole. L'utilisation des bougies et de l'huile de baleine a réduit le prix de 87 % au début du XIXe siècle, ce qui représente un taux d'amélioration de 0,06 % par an. Entre 1800 et 1900, le taux est de 2,3 % l'an, dix-huit fois plus élevé, grâce à l'ampoule à filament carbone. Au XXe siècle, le progrès est de 6,3 % par an grâce à l'utilisation des éclairages fluorescents.

Comme Kurzweil le signale, l'effort demandé reste raisonnable jusqu'à la moitié de l'échiquier : au trente-deuxième carré, l'empereur a donné quatre milliards de grains de riz, une valeur correspondant à la production d'un champ ordinaire… C'est à la seconde moitié que l'empereur comprend sa défaite : il est ruiné, aucune puissance humaine ne peut honorer sa promesse. Selon certaines versions de l'histoire, l'inventeur a été décapité ! Pour Brynjolfsson et McAfee, qui reprennent la même anecdote dans leur livre *The Second Machine Age*[1], nous entrons à notre tour sur la seconde moitié de l'échiquier, dans un monde aux potentialités infinies et dont nous ne mesurons pas davantage la portée que l'empereur parvenu à mi-course.

Leur enquête au long cours montre la puissance des innovations qui se préparent. La révolution de l'information a permis la carte de crédit, la téléphonie sans opératrice et sans fil, les écrans plats, les produits Apple. Hier, les paysans poussaient une charrue derrière un cheval. Aujourd'hui, ils conduisent un tracteur guidé par un GPS. Les ordinateurs sont désormais mis au service des cabinets d'avocats pour examiner des documents légaux. Blackstone Discovery, une entreprise de Palo Alto, propose d'analyser un million et demi de documents par mois, pour un tarif de 100 000 dollars. La traduction en langue étrangère est un autre exemple de progrès spectaculaire. La firme GeoFluent, utilisant une technologie développée par Lionbridge et IBM, semble avoir vaincu cette frontière de complexité. 90 % des utilisateurs se sont déclarés enchantés par le procédé. Dans un tout

---

1. *The Second Machine Age*, Norton, 2014.

autre domaine, IBM a fabriqué un superordinateur qui a battu ses rivaux humains au jeu Jeopardy !, où il faut trouver la question correspondant à une réponse donnée.

À mesure que nous entrons sur la seconde moitié de l'échiquier, les ordinateurs deviennent sans cesse plus performants. Les données collectées dans les big data connaissent tout de vos achats, de vos inclinations diverses. L'intimité est devenue un enjeu aussi important à défendre qu'hier les droits civiques.

Google semble déterminé à marquer de son empreinte les technologies à venir. *Le Monde* résumait ainsi les recherches menées par la firme : « Lentilles oculaires qui mesurent le taux de sucre des larmes pour les diabétiques, cuillère qui compense les tremblements des parkinsoniens ou nanoparticules pour traquer les cellules cancéreuses, Google se veut à la pointe de la médecine personnalisée. La médecine du futur, c'est le suivi continu des données du patient, selon Andrew Conrad, directeur de Google X, la structure expérimentale de Google Life Sciences[1]. » « Google peut-il vaincre la mort ? » était le titre d'une couverture de *Time Magazine*.

Les Google *glasses* donnent une première mesure des progrès « simples » en cours de commercialisation. Elles permettent d'avoir constamment un écran visible (situé à un équivalent virtuel de 2,50 mètres) sur lequel on peut lire ses mails, les news et la géolocalisation. Google promet même un modèle avec verres correcteurs… Au-delà du gadget que pourrait représenter la possibilité de lire, sur un nouveau support, les images déjà disponibles à foison sur toutes sortes d'écrans, les Google *glasses* permet-

---

1. *Le Monde*, 27 avril 2015.

tront de tout savoir de l'interlocuteur qui est en face de vous, son casier judiciaire, ses données confidentielles, ses émotions au moment où il vous parle. En octobre 2010, Google a annoncé qu'il avait équipé une Toyota Prius lancée sans conducteur sur les routes américaines pendant plus de deux cent mille kilomètres, sans encombres. Google a utilisé le nombre considérable de données disponibles sur Google Maps et Google Street View. Le seul incident est venu d'une collision avec une voiture dont le conducteur avait brutalement freiné à un feu vert.

Paul Romer, le pionnier des théories de la « croissance endogène », résume son propre optimisme ainsi : « Chaque génération a perçu les limites de la croissance et regretté les effets indésirables des idées nouvelles. Et chacune a sous-estimé leur potentiel. Nous échouons de manière répétée à saisir combien d'idées restent à découvrir. Les possibilités ne s'ajoutent pas, elles se multiplient. » Même en admettant qu'une idée nouvelle est bien souvent la recombinaison d'idées anciennes, les possibilités sont infinies. Romer calcule ainsi que le nombre de combinaisons possibles à partir d'un jeu de cinquante-deux cartes est égal à $8,06 \times 10^{67}$ (= 52!, factorielle 52, en langage mathématique), soit le nombre d'atomes dans notre galaxie…

Robert Gordon, lui-même prince des pessimistes, rappelait les erreurs de tous ceux qui avaient un jour ou l'autre annoncé la fin des innovations dans leur propre secteur. En 1876, un mémo de Western Union concluait ainsi que le téléphone avait trop d'inconvénients pour être un instrument de communication fiable. Le patron de la Warner Bros, en 1927, un an avant le premier film parlant, *The Jazz Singer*, déclarait quant à lui : « Qui veut entendre les acteurs parler ? » En 1943, le président d'IBM estimait le marché mondial à cinq ordinateurs ! Bill Gates, en 1981, en partisan des disquettes, considérait que six cent quarante kilooctets devaient suffire à chacun. La moindre clé USB contient aujourd'hui dix mille fois plus de capacité (on raisonne désormais en gigaoctets, qui valent un million de kilooctets...). Quand en 1992, Bill Clinton a réuni les meilleurs esprits pour discuter du futur, aucun n'a mentionné Internet !

Pour reprendre une formule de Joel Mokyr, historien de l'économie, lui aussi enthousiaste des nouvelles technologies, la révolution numérique est en train de réinventer l'invention elle-même ! « D'immenses banques de données, des simulations de processus chimiques complexes, des méthodes d'analyses statistiques ultra-sophistiquées : la révolution numérique est partout, de la génétique moléculaire aux nanosciences et aux recherches en poésie médiévale. Les matériaux sont développés au niveau nanotechnologique, en simulant les équations quantiques qui définissent leurs propriétés... » Mokyr n'hésite pas à parler d'un nouvel âge du bronze ou du fer ! On est loin de l'apprentissage artisanal qui permit à William Perkin de découvrir, par hasard, un colorant artificiel, le pourpre d'aniline, ou à Henry Bessemer d'inventer (en 1856, la même année que Perkin) le procédé qui porte son nom pour fabriquer de l'acier. Vus d'aujourd'hui, conclut Mokyr, le télescope de Galilée et le microscope de Pasteur semblent appartenir à l'âge de pierre.

À ses yeux, comme pour les théoriciens de la « croissance endogène », nous entrons sur la seconde moitié de l'échiquier.

Où va le travail humain ?

La numérisation du monde avance comme une marée qui absorbe les emplois et bouleverse le fonctionnement des entreprises. Jusqu'où ira-t-elle ? Carl Benedikt et Michael Osborne, dans une étude qui a fait beaucoup de bruit, ont argué que 47 % des emplois sont menacés par la numérisation[1]. Selon cette étude provocatrice, ce sont les professions intermédiaires qui sont visées : les comptables, les auditeurs, les vendeurs, les agents immobiliers, les secrétaires, les pilotes, les économistes, les personnels médicaux. Les emplois les moins menacés sont : les psychanalystes, les dentistes, les athlètes, les membres du clergé et les écrivains… Il n'y a pas de romanciers numériques, nous rassurent les deux auteurs, car les humains continueront longtemps encore à produire eux-mêmes leurs fictions.

En 2004, Frank Levy et Richard Murnane avaient déjà publié un livre important : *The New Division of Labor* dans lequel ils s'interrogeaient sur la part qu'occuperont

---

1. « The future of employment : how susceptible are jobs to computerisation », Oxford Martin School, 17 septembre 2013.

à l'avenir le travail humain et le travail digital. Leur analyse s'est fondée sur ce qu'on appelle le « paradoxe de Moravec » selon lequel les activités physiques qui survivent à la numérisation sont celles qui nécessitent une bonne coordination sensorimotrice. Il est assez facile de disposer d'ordinateurs qui passent des tests d'intelligence élevés (jouer aux échecs), mais très difficile de battre un enfant de deux ans lorsqu'il s'agit de taper dans un ballon. Les tâches que nous savons faire spontanément, par exemple casser un œuf sur le bord d'un bol, sont infiniment plus difficiles à coder qu'une partie d'échecs.

Selon Moravec, ce paradoxe pourrait être le résultat de l'évolution, laquelle a mis des millions d'années à donner aux humains un avantage dans le domaine des sens et de la perception, alors que les progrès du raisonnement mathématique sont beaucoup plus récents, et donc beaucoup plus faciles à reproduire. Par une formidable ironie de l'histoire, l'avantage comparatif de l'homme face aux machines se situerait ainsi dans les qualités avec lesquelles, dans sa prime jeunesse, il a pris l'ascendant sur ses cousins les primates ! L'informatique pousse, si l'on suit ce raisonnement, l'humain vers des tâches où la spontanéité, la créativité sont essentielles, après que l'âge de l'électricité et le travail à la chaîne avaient commandé des dispositions exactement inverses.

Benedikt et Osborne s'interrogent ainsi (ironiquement ?) sur la capacité d'un ordinateur à concevoir une bonne blague. Pour qu'un ordinateur parvienne à produire une plaisanterie subtile, il lui faudrait un catalogue géant de celles déjà existantes, et un algorithme qui permette d'écarter celles qui n'ont pas de sens. Cela ne semble pas possible dans l'immédiat… De même, les tâches qui requièrent de l'intelligence sociale ou affective ne sont pas près d'être informatisées. « Scanner, cartographier et numériser le cerveau humain est une possibilité, mais qui reste à l'heure actuelle très théorique. » Les auteurs nous rassurent : même si un grand nombre de tâches non routinières peuvent être numérisées grâce à d'immenses banques de données, les tâches qui requièrent le couple perception et manipulation, ou bien une intelligence créatrice, sociale ou affective, sont pour l'instant protégées de l'informatisation[1].

La classe moyenne à la dérive

Les réflexions sur le paradoxe de Moravec permettent à David Autor de montrer pourquoi la classe moyenne tend à s'effriter avec l'essor des technologies de l'information et de la communication[2]. Les tâches administratives, de contrôle du travail d'autrui, d'encadrement intermédiaire, sont celles où l'ordinateur dépasse l'humain. Autor a ainsi décomposé en trois niveaux les

---

1. Le fameux combat entre Kasparov et Deep Blue n'a plus d'intérêt : l'ordinateur gagne toujours, désormais. Mais la compétition *free style* est intéressante. La meilleure équipe n'est pas le meilleur joueur associé au meilleur ordinateur : mais (selon Kasparov) une paire de bons amateurs jouant avec trois ordinateurs à la fois... Il ne s'agit plus de lutter contre la machine, mais avec elle. Lire Tyler Cowen, *Average is Over*, Penguin, 2013.

2. La construction est un exemple qui montre la limite de la substitution des machines aux ouvriers : les ouvriers bénéficient des techniques assistées par ordinateur pour construire des maisons. Mais pour finir, l'œil, le jugement de l'homme restent indispensables.

emplois américains. Le niveau 1 est formé des managers, des « professionnels » et des « techniciens supérieurs ». Le niveau 2 est composé des emplois situés au milieu de la hiérarchie sociale : il est constitué des contremaîtres, des emplois administratifs et des ouvriers qualifiés. Le niveau 3 est formé des emplois les moins bien payés, essentiellement les services à la personne et les métiers de bouche.

Ses conclusions ? Juste avant la grande récession qui suivit la crise des subprimes, le niveau 3 a enregistré une croissance à deux chiffres durant les années 1999-2007 ! Ce sont les emplois du « milieu » qui ont chuté. Ils passent de 60 % de l'emploi en 1970 à 45 % en 2012. Le phénomène n'est pas propre aux États-Unis. Une autre étude a montré que ces emplois ont également baissé de 9 % en France entre 1993 et 2010, de 10 % au Danemark et au Royaume-Uni (et de 7 % en Allemagne)[1]. Pendant la grande récession qui a fait suite à la crise des subprimes, ce sont bien les emplois du niveau 2 qui ont connu la croissance la plus faible, voire franchement négative dans certains pays. L'analyse de David Autor est donc radicale : ce n'est pas tant la demande d'emplois non qualifiés qui baisse que celle des emplois intermédiaires. La classe moyenne s'est développée dans le sillage du processus de bureaucratisation (privé autant que public) qui a accompagné le développement de la société industrielle. La société numérique est en partie une réponse à ce processus,

---

1. Maarten Goos, Alan Manning et Anna Salomons, « Explaining job polarization : routine-biased technological change and offshoring », *American Economic Review*, vol. 104-8.

dans une immense opération de réduction des coûts (*cost-cutting*).

Le fait que les emplois du niveau 3 progressent pourrait conduire à la conclusion que leur rémunération devrait augmenter aussi. La pression exercée par les classes moyennes en phase de déclassement y fait toutefois obstacle. À l'inverse, à l'autre bout de la chaîne, la hausse vertigineuse des salaires offerts aux 1 % les plus riches n'a guère provoqué de contre-tendances en matière d'emploi. Pourquoi une partie au moins des salariés du niveau 2 ne parviennent-il pas à se hisser au niveau 1, le mieux rémunéré ?

Une première réponse est qu'il faut du temps avant que de nouvelles cohortes d'étudiants ne viennent postuler, en nombre, aux meilleurs emplois. Aux États-Unis, cette réponse a été étonnamment faible, du fait peut-être que, les emplois du niveau 2 ayant baissé, des signaux contradictoires ont été envoyés aux étudiants qui auraient souhaité prolonger leurs études. Mais une autre explication repose sur l'idée du *winner takes all* : tout va au gagnant ! Dans le capitalisme postindustriel, les modes de rémunération tendent à tout donner au « meilleur », et rien au second. C'est le star-system, analysé dès le début des années quatre-vingt par Sherwin Rosen aux États-Unis et en France par Françoise Benhamou. On l'appelle aussi l'« effet Pavarotti » : pourquoi acheter un autre album que celui du meilleur artiste ? Le phénomène s'observe partout, qu'il s'agisse des musées, des livres, des sportifs, des médecins, des avocats ou des patrons. Surabondante, la société de l'information crée une économie de la réputation qui fait monter de manière disproportionnée la rémunération de celui

101

qui est considéré comme le meilleur. Quel que soit le mécanisme exact, le résultat est sans appel. Aux deux bouts du monde de l'emploi se crée une formidable asymétrie : les salaires vont en haut et les emplois vont en bas. C'est le milieu, la classe moyenne, qui disparaît. L'idéal démocratique qu'elle est censée incarner en est profondément marqué

La croissance disparue

Le monde tend vers le tout-numérique, comme hier vers le tout-électrique. Le paradoxe central de notre époque est toutefois le suivant : les promesses de la révolution numérique ne se retrouvent pas dans les chiffres de la croissance économique ! La croissance des pays avancés ne cesse de reculer. Par habitant, elle a baissé en Europe au cours des trente dernières années, passant de 3 % dans les années soixante-dix à 1,5 % dans les années quatre-vingt-dix, à 0,5 % de 2001 à 2013[1]. Aux États-Unis, elle a été nulle pour 90 % de la population sur la même période[2]...

---

1. Moyenne (pondérée) de la France, de l'Allemagne et de l'Italie, données OCDE.

2. De 1980 à 2010, la croissance du revenu des 90 % des familles les plus pauvres a en fait été négative, passant de 33 500 dollars à 31 600 dollars (ajusté pour l'inflation, et malgré la hausse de la participation féminine !). Voir Emmanuel Saez, http://eml.berkeley.edu/~saez/TabFig2013prel. xls, tableau « Income growth ». Le revenu médian (celui du ménage situé exactement au milieu de la distribution) a quasiment stagné au cours de la période (+ 0,1 % l'an en moyenne). En prenant en compte les cotisations santé, le revenu médian a augmenté de 0,4 % l'an. Voir « Economic Report to the President, Council of Economic Adviser », 2015.

Le chemin déjà parcouru d'un point de vue technologique est pourtant considérable. Lorsque les premiers ordinateurs de bureau ont été introduits, des pools de secrétaires faisaient un travail aujourd'hui totalement révolu : taper des milliers de pages sans droit à l'erreur. Les données informatiques étaient stockées sur des cartes perforées. La musique s'écoutait sur des microsillons et personne n'aurait imaginé possible de disposer de plusieurs milliers de chansons dans l'équivalent d'une boîte d'allumettes. On envoyait des lettres par courrier, dont la réponse venait plusieurs jours plus tard. Il fallait rester devant son téléphone lorsqu'on attendait un appel important. À l'aune de l'ensemble de ces transformations, les années soixante apparaissent bien comme un âge de pierre. Pour autant, la période écoulée depuis le premier PC d'IBM n'a pas été particulièrement brillante en matière économique. Pour la grande majorité des habitants des pays avancés, la stagnation des revenus est devenue la règle.

L'économiste Robert Gordon a pris la tête d'une croisade intellectuelle contre les idées expansionnistes des théoriciens de la « croissance endogène »[1]. Il note ironiquement qu'aucune des grandes mutations annoncées par la science-fiction des années cinquante et soixante ne

---

1. Robert Gordon a publié une série d'articles essentiels sur la croissance économique, qui formeront le thème d'un livre intitulé *Beyond the Rainbow : The American Standard of Living Since the Civil War*. Les articles importants sont disponibles comme documents de travail du National Bureau of Economic Research (NBER): *The Demise of U.S. Economic Growth : Restatement, Rebuttal, and Reflections*, n° 19895, 2014 ; *Is U.S. Economic Growth Over? Faltering Innovation Confronts the Six Headwinds*, n° 18315, 2012 ; *Revisiting U.S. Productivity Growth over the Past Century with a View of the Future*, n° 15834, 2010.

s'est produite. Nous ne nous déplaçons pas en aéronef, il n'existe pas de télétransport, nous n'occupons pas Mars… Face aux innovations exceptionnelles du siècle précédent, seul le smartphone apparaît comme une innovation dont la radicalité se compare aux bouleversements antérieurs. Pour Gordon, la bulle Internet a été un événement unique, dont les effets sont déjà dissipés ! « La vie est plus agréable et nous avons plus de choses à consommer, mais la vitesse du progrès matériel a ralenti, relativement à ce qu'ont connu les deux ou trois générations précédentes. »

Gordon pousse très loin l'idée selon laquelle la croissance euphorique du XXe siècle ne se répétera pas au XXIe. Prenant l'exemple des transports, il note que depuis 1958, les vitesses stagnent voire régressent. Les avions ne vont pas plus vite qu'il y a quarante ans. Ils consomment moins de carburant et font moins de bruit, mais cela signifie simplement qu'ils corrigent les nuisances qu'ils ont eux-mêmes provoquées. Ce n'est pas la même chose que de satisfaire un nouveau besoin[1].

Selon Gordon, l'informatisation de la société a produit une secousse importante mais éphémère. Du point de vue du consommateur, les grandes inventions tournent autour de la personnalité de Steve Jobs et de sa série de iPod, iPhone, iPad. Elles sont belles, miniaturisées, ludiques, mais leur portée ne se compare pas à celles qui les ont précédées. Alors qu'il avait fallu près d'un siècle pour assécher le potentiel de croissance des deux révolutions industrielles, il est possible que, cette fois, le

---

1. Jusqu'en 1830, la vitesse de déplacement était déterminée par ce que Gordon appelle « le sabot et la voile ». Puis, jusqu'à l'invention du Boeing 707, elle avait continûment augmenté. Elle stagne depuis.

potentiel de la révolution informatique s'épuise beaucoup plus rapidement. D'où la proposition provocatrice de Gordon : l'idée de croissance, au sens du XXᵉ siècle d'une consommation de masse, est en train de disparaître, sous nos yeux, sans que nous soyons prêts à l'admettre.

Si l'on regarde, en France, les grandes évolutions de la consommation au cours des cinquante dernières années, on assiste de fait à une transformation qui n'est pas bouleversante. La part des loisirs a augmenté : en incluant les dépenses de communication, elle passe de 10 % à 16 %. Mais l'alimentation, le logement, l'habillement et les transports continuent de constituer la grande majorité des dépenses, le principal déplacement consistant en une baisse de la part hier consacrée à l'alimentation en faveur du logement.

La différence avec la révolution provoquée par la précédente vague d'innovations est spectaculaire. Entre 1880 et 1940, le monde a véritablement changé de visage. En 1876, Graham Bell invente le téléphone. En 1879, Edison découvre l'ampoule électrique et Karl Benz le moteur à explosion, puis les frères Lumière, le cinéma en 1895 et Marconi, la TSF en 1901. Les inventions permises par l'électricité ont bouleversé le cadre d'existence des humains : l'ascenseur, les appareils électroménagers, l'air conditionné... Toutes ces innovations sont visibles dès 1929, du moins dans les centres urbains américains.

Le tout-à-l'égout s'impose entre 1870 et 1900, un intervalle bref au cours duquel son accès est multiplié par dix. Entre 1890 et 1900, le métro aérien à Chicago et le métro souterrain à New York bouleversent la géographie urbaine. Aux États-Unis, l'automobile marque la fin de l'exclusion rurale, le développement précoce d'une culture périurbaine. En 1946, les premiers programmes télévisuels sont diffusés. Si l'on y ajoute les améliorations apportées aux innovations du siècle précédent – le chemin de fer, la machine à vapeur, le télégraphe et le téléphone, et la hausse de la productivité agricole grâce aux tracteurs et aux engrais –, on prend la mesure de la bourrasque qui a emporté les pays européens et leurs terres de peuplement.

Ces immenses transformations se sont traduites, durant le siècle passé, aux États-Unis, par une croissance moyenne du revenu par habitant de 2 % l'an. Pour Gordon, il ne fait aucun doute que la croissance du XXIe siècle sera (beaucoup) plus faible, du moins pour la classe moyenne américaine. Sa conclusion centrale est que la croissance des quarante dernières années (1972-2014) est devenue la nouvelle norme. Le rythme « lent » qui s'observe depuis 1973 est en réalité un retour à la moyenne, celle qui prévalait par exemple au cours de la période allant des dernières années du XIXe siècle jusqu'aux années vingt du siècle passé[1].

---

1. De 1891 à 1972, la productivité horaire américaine a crû de 2,36 % l'an. Sa croissance est beaucoup plus basse à partir de 1972, tombant à 1,59 % l'an. Encore ce chiffre doit-il beaucoup à la hausse brutale qui se produit pendant la bulle Internet : entre 1996 et 2004, la productivité horaire a connu un rebond spectaculaire de 2,54 % l'an, qui a fait croire, au cours de cette période, à un nouveau cycle de croissance. En dehors de ce boom, la productivité horaire progresse plus lentement, à 1,4 % seulement environ, presque un point en deçà des niveaux antérieurs. Si cette croissance potentielle était la nouvelle norme, cela signifierait, selon Gordon, la disparition de toute perspective de croissance pour la « plèbe américaine », une fois pris en compte le poids de la démographie, de l'éducation et des inégalités ! Démasquer ceux qui ne produisent pas beaucoup et les licencier est en fait, selon lui, la principale cause des gains de productivité aux États-Unis.

Un nouveau rebond est-il envisageable ? Entrons-nous sur la seconde moitié de l'échiquier, comme l'annoncent les auteurs de *The Second Machine Age* ? Les technophiles comme Joel Mokyr aiment rappeler que le progrès scientifique ne peut être prévu. Pasteur n'aurait pu découvrir sa théorie des microbes sans l'invention préalable du microscope en 1820. Le Web a eu besoin de Google pour devenir autre chose qu'une façon commode d'écrire des e-mails. Gordon lui répond que des visionnaires comme Jules Verne avaient bien prévu le monde à venir. Plus ironiquement, il cite un magazine publié en 1900, le *Ladies Home Journal*, où l'on trouve annoncées nombre de découvertes en cours de gestation : l'air conditionné, l'automobile, le réfrigérateur.

Essayant, comme Jules Verne, de prédire le futur, il note que la liste qui revient le plus souvent touche au domaine médical, aux robots miniatures, à l'imprimante 3D, aux big data et aux voitures sans conducteur. Dans le domaine sanitaire, le XXIe siècle promet des progrès dans les maladies mentales (Alzheimer) ou transmissibles (vaccin contre le sida). La question n'est pas de les négliger, mais de comprendre leur potentiel d'entraînement sur l'ensemble de la société. Les techno-optimistes annoncent une révolution à venir mais restent discrets sur celle qui s'est déjà produite. Pour Gordon, ce serait déjà formidable si les innovations se poursuivaient au rythme des trente dernières années. Mais la question subsiste : cela n'augurerait pas d'une croissance à la hausse.

Retour sur le PIB

Une autre dimension du débat porte sur la mesure du PIB. Bon nombre des profits de la révolution numérique sont gratuits et ne figurent pas dans les statistiques. La croissance est donc mal mesurée. Angus Deaton, spécialiste du développement, note également que nous apprécions mal le bénéfice de pouvoir disposer d'un smartphone, de pouvoir zapper une centaine de programmes télévisuels ou de recourir à des distributeurs de billets fonctionnant jour et nuit[1]. Lorsque les parents de Deaton ont quitté leur Écosse natale pour migrer au Canada ou en Australie, ils ne comptaient guère revoir leur famille un jour. La révolution des transports et des communications rend aujourd'hui ces séparations beaucoup moins douloureuses.

La réponse de Gordon à cette objection est que le PIB a toujours été sous-évalué. Les automobiles n'apparaissent dans l'indice des prix américains qu'à partir de 1935. L'électricité, l'ascenseur, le métro, le remplacement du cheval par l'automobile : toutes ces grandes innovations qui ont révolutionné la vie urbaine ne figurent pas en tant que telles dans le PIB, sinon à proportion de leurs coûts d'installation.

Il y a toutefois une dimension majeure du monde contemporain, qui va au-delà des problèmes statistiques. Les encyclopédies en ligne, telle Wikipédia, les données collectées grâce à Google, le plaisir de communiquer via

---

1. Angus Deaton, *The Great Escape*, Princeton University Press, 2013.

Facebook… sont gratuits ou, lorsque l'accès est payant, ne se mesurent qu'à l'aune du détournement de trafic qu'ils organisent vers la vieille économie, via la publicité ou la collecte d'informations sur la clientèle.

Cette évolution annonce une bonne et une mauvaise nouvelles. Internet offre des services qui ne nous coûtent rien, ce qui est bien pour le pouvoir d'achat. La mauvaise nouvelle est qu'il ne génère pas d'emplois. Google, Facebook ou Twitter embauchent à elles trois moins que n'importe quelle firme automobile aujourd'hui encore ! La situation est parfaitement résumée par une phrase de l'économiste Edward Glaeser : « Tout se passe comme si un petit nombre de gens très bien payés travaillaient à rendre gratuits des biens consommés par des pauvres[1]. »

Une autre dimension du débat porte sur les emplois publics. Le PIB les mesure à leurs coûts. La contribution d'un médecin hospitalier à la richesse est mesurée à proportion de son salaire, point à la ligne[2]. Les progrès de l'espérance de vie qu'il permet d'atteindre ne seront jamais pris en compte dans le calcul de la productivité[3].

---

1. Voir « Secular stagnation : facts, causes and cures », Coen Teulings et Richard Baldwin (éd.), CEPR, 2014.

2. Le PIB mesure la production des fonctionnaires à leur coût. Réduire le salaire des enseignants et des médecins fait donc baisser leur contribution (mesurée) à la richesse et abaisse aussi leur productivité apparente, laquelle est définie par la richesse produite par heure travaillée.

3. Richard Landes rappelait l'effet spectaculaire, pour la « productivité » européenne, de la découverte des lunettes. Elle a permis à de nombreux artisans dont l'activité dépendait d'une bonne vision d'être productifs beaucoup plus longtemps. De manière paradoxale au regard des besoins auxquels elle correspond, la santé apparaît désormais comme un coût qu'il faut réduire.

Même chose pour un enseignant ou un gardien de musée. D'aucuns expliqueront que cela sous-estime le PIB réel, d'autres diront le contraire…

Mais le point fondamental n'est pas celui-là. Les secteurs les plus en pointe du monde moderne sont en dehors de la sphère marchande au sens habituel du terme, qu'il s'agisse du monde numérique où la gratuité est la norme naturelle, ou de l'éducation et la santé qui sont, en grande majorité, dans le domaine public. Cela pose moins des questions de mesure statistique que des problèmes politiques, de confiance en l'État.

Marx à Hollywood

Le pessimisme de Gordon renoue avec la grande tradition des économistes classiques qui, de Malthus à John Stuart Mill et Marx, ont annoncé la venue d'un « régime stationnaire », où la croissance viendrait à se tarir. Marx n'acceptait pas les explications malthusiennes, démographiques de la misère mais il en reprenait les principales conclusions : « Quel que soit le taux des salaires, conclut-il, la condition du travailleur doit empirer, à mesure que le capital s'accumule. » Pour Marx, la misère est un phénomène social, pas biologique. Les machines sont l'un des instruments de pression dont disposent les capitalistes pour maintenir les salariés dans la pauvreté. David Ricardo, prince des économistes, avait ajouté un chapitre, dans ses *Principes d'économie politique* publiés en 1817, pour montrer l'ambivalence de la machine sur la rémunération du travail.

La peur de la machine est ancienne. De l'empereur Dioclétien qui aurait interdit une machine permettant d'élever les colonnes parce qu'il ne voulait pas « priver le peuple de son pain » aux luddites qui brisèrent, en 1811, les machines à tisser qui les menaçaient, la liste est longue des craintes en ce domaine[1]. Les économistes de la seconde moitié du XXᵉ siècle ont cherché à les apaiser. Emmenés par Robert Solow, grand théoricien de la croissance, ils ont argué que les machines permettaient aux ouvriers d'être plus productifs et de bénéficier ainsi des fruits de la croissance. La grande période des Trente Glorieuses, où le chômage est au plus bas alors que la mécanisation est à son comble, est une illustration de leurs bienfaits potentiels.

Le raisonnement des théoriciens de la croissance repose toutefois sur une hypothèse cruciale : la machine est « complémentaire » du travail. On dit qu'un bien est complémentaire d'un autre, comme le café et le sucre, lorsqu'ils sont tous les deux nécessaires à la production finale. Ils sont substituables, comme le thé et le café, quand on choisit l'un ou l'autre… Les réflexions concernant le paradoxe de Moravec montrent à elles seules un changement de nature du progrès technique. Elles essaient en effet de cerner ce que les machines peuvent faire *à la place* des travailleurs, comme s'il fallait en effet choisir les unes ou les autres. Elles témoignent d'une situation où les machines se substituent à l'emploi, au lieu d'en augmenter l'efficacité comme le fait le sucre avec le café.

L'économiste David Autor le souligne avec ironie : la plupart des économistes clament, selon une enquête,

---

1. Wassily Leontief comparait le rôle des hommes à celui des chevaux : longtemps indispensables, ils ont fini par disparaître comme moyen de production. Le paradoxe du cheval est qu'il n'a jamais été autant utilisé qu'à partir de la révolution industrielle, au XIXᵉ siècle, dans les villes où son crottin règne en maître, dans les campagnes et sur les champs de bataille. Et puis, tout d'un coup, avec le métro, la voiture et le tracteur, il a disparu.

que l'« automation » n'est pas responsable du chômage, pour 63 % d'entre eux, mais que pourtant 43 % sont d'accord (et 30 % incertains) avec l'idée que les nouvelles technologies de l'information et de la communication sont responsables de la stagnation des salaires aux États-Unis. Comme le disent aussi Brynjolfsson et McAfee, les économistes (se) cachent (à eux-mêmes) « *a little dirty secret* » : rien ne garantit que tout le monde profitera du progrès technique.

Le modèle A/B

Le rôle destructeur de la machine est souvent analysé en termes de chômage. La machine remplace les travailleurs, qui seraient ainsi condamnés à ne rien faire. L'idée selon laquelle il y aurait une masse maximale d'emplois disponibles dans la société, que l'usage des machines réduirait constamment, est facile à réfuter[1]. Le progrès technique crée du pouvoir d'achat qui permet de rendre solvables de nouveaux emplois. Alfred Sauvy abordait plus justement la question, dans son livre *La Machine et le Chômage*[2], comme un problème de

---

1. Plusieurs exemples montrent que la hausse imprévue du nombre de travailleurs finit toujours par être résorbée. Ainsi, dans la France des années soixante, la venue des pieds-noirs après la guerre d'Algérie n'a pas significativement augmenté le chômage dans les régions où ils se sont installés. La variable pertinente est en réalité le *taux* de chômage (5 %, 10 % ?), pas le *nombre* de chômeurs. J'aborde les théories de la fin du travail dans *Nos Temps modernes*, Flammarion, 2002.

2. Alfred Sauvy, *La Machine et le Chômage : les progrès techniques et l'emploi*, Bordas/Dunod, 1980.

« déversement » : le travail doit migrer des secteurs où la machine fait le travail vers ceux où elle ne le peut pas. Cette migration peut être longue et difficile, comme hier le passage de la campagne à la ville, mais elle est inéluctable. Aujourd'hui, on dirait que le travail doit aller des emplois « Moravec-compatibles », susceptibles d'être codifiés numériquement, vers ceux qui ne le sont pas. Mais la question devient alors la suivante : si les emplois qui survivent sont ceux que le progrès technique épargne, que devient le potentiel de croissance des économies ? Analysons ici un modèle simplifié, inspiré de Sauvy, pour tenter d'y répondre.

Considérons une économie initialement composée de deux secteurs de taille égale. La moitié de l'économie travaille dans le secteur A, qui emploie disons 100 travailleurs, et l'autre moitié dans le secteur B, où travaillent 100 travailleurs aussi. Supposons à présent qu'un choc technologique majeur détruise entièrement les emplois du secteur A ! (c'est l'ordre de grandeur des conséquences de la numérisation selon Benedikt et Osborne). La population employée dans le secteur A doit migrer vers le secteur B. Ce dernier, au bout de la transition, double donc de taille. On peut penser au choc qu'a représenté la disparition de l'agriculture au cours du XXe siècle en faveur de l'industrie, ou plus tard, à la disparition des emplois industriels en faveur des services. Comment analyser les conséquences de ce « déversement » ? Quelles sont les propriétés de cette économie, en termes de croissance et de répartition ?

Pour fixer des ordres de grandeurs chiffrées, supposons, dans notre exemple, que le processus de migration des emplois A vers les emplois B prenne cinquante ans à se réaliser. Ce serait comme une mutation allant de 1980 à 2030. Au cours de cet horizon de temps, la moitié A de l'économie enregistre une croissance infinie de sa productivité : ce que faisaient les cent personnes du secteur se fait maintenant tout seul grâce à des logiciels ! Que vaut la croissance moyenne au cours de cette période ? Supposons qu'avant le choc, les travailleurs des secteurs A et B produisaient chacun une unité de PIB. Celui-ci valait donc initialement 200. Cinquante ans plus tard, que vaut-il ? Le secteur A produit sans aucun travailleur les 100 unités initiales, et le secteur B qui a doublé de taille en produit désormais 200. Au total, le PIB est donc passé de 200 initialement à 300 cinquante ans plus tard, soit une multiplication de 150 %. Ce n'est pas rien, mais en termes annuels, cela veut dire une croissance de 0,8 %, pas très éloignée des scénarios pessimistes de Gordon...

Comment est-ce possible ? La moitié de l'économie connaît une croissance *infinie* de sa productivité et, au final, la croissance moyenne n'égale même pas 1 % l'an ! La raison de cette déception tient à un facteur crucial. Nous avons supposé dans notre exemple que la totalité des gains d'efficience était dans le secteur A mais que les travailleurs du secteur B, à l'inverse, ne connaissaient aucune amélioration de leur productivité. Dans cet exemple, les logiciels remplacent purement et simplement les hommes, mais les travailleurs déplacés ne sont pas plus productifs. « Il n'est de richesses que d'hommes », disait Jean Bodin au XVIe siècle. Si leur productivité individuelle ne progresse pas, la croissance est nécessairement faible.

De Detroit à Hollywood

William Baumol avait présenté un modèle très proche de celui de Sauvy pour expliquer la crise du spectacle vivant[1]. Les comédiens de théâtre, les danseurs, les musiciens d'orchestre ont subi dans les années soixante la concurrence violente d'industries culturelles beaucoup plus productives. Un enregistrement du meilleur maestro peut faire le tour du monde, pour un coût quasiment nul à la marge, tout comme un film diffusé à la télévision touche des millions de foyers à budget inchangé… Le secteur A de notre modèle, c'est ici Hollywood. Quelques stars et studios inondent le monde de produits culturels qui entrent quasi gratuitement dans les foyers par la télévision ou le câble. Les comédiens habituels, ceux qui jouent dans les spectacles vivants, le théâtre ou la danse, ne bénéficient, à l'inverse, d'aucuns gains de productivité. Une troupe qui met en scène *Richard III* fait face au même coût aujourd'hui qu'hier pour conter la « triste histoire de la mort des rois ». Face à deux produits substituables, l'un bon marché et l'autre cher, les consommateurs n'hésitent pas longtemps !

Dans ce schéma, ce sont les stars d'Hollywood qui paupérisent les comédiens de théâtre. Ils sont, comme les logiciels du secteur A, l'incarnation de technologies qui permettent de produire des biens sans travailleurs, tandis que les comédiens sont l'incarnation des travail-

---

1. William Baumol et William Bowen, *Performing Arts : The Economic Dilemma*, MIT Press, 1966. La théorie de Baumol est connue comme la maladie des coûts (*cost disease*).

leurs qui produisent des biens sans technologie... Le capitaliste, ici, c'est la star, celui qui commande le progrès technique. Le prolétaire, c'est le comédien, qui en subit la concurrence et doit bien souvent trouver un autre job, comme garçon de café ou enseignant[1]...

Cette situation est totalement différente de la transition qu'a représentée le passage de l'agriculture vers l'industrie. En 1900, 40 % de la population active, aux États-Unis, travaillait dans l'agriculture. Aujourd'hui, il n'en reste que 2 %. Cette transition est le modèle d'un « déversement » réussi. On comprend pourquoi : les paysans, le secteur A dans notre exemple, ont migré vers des emplois industriels, le secteur B, mais, à la différence de l'exemple proposé, ce dernier était lui-même dans une phase de croissance de sa productivité. La révolution du XXᵉ siècle a ainsi cumulé deux forces : la productivité agricole et le relais qu'a représenté la productivité industrielle.

La transition que nous traversons aujourd'hui est différente. Les travailleurs ont déjà (pour la plupart) migré de l'industrie vers les services, et c'est au sein des services que se fait la transition vers les emplois que le paradoxe de Moravec leur abandonne. La question est de savoir ce que deviennent les travailleurs déplacés. Si leur nouvelle productivité stagne, par exemple dans des emplois de livreurs de pizzas, le résultat est sans ambiguïté : le potentiel de croissance est considérablement réduit.

Le modèle A/B permet de comprendre également pourquoi la croissance n'est pas seulement lente, mais

---

1. Baumol et Bowen notent dans leur livre que la plupart des artistes de spectacle vivant doivent faire un second métier.

potentiellement très inégalitaire. Supposons que les producteurs de logiciels parviennent à conserver la propriété de la totalité des fruits du secteur A. En ce cas, le salaire des travailleurs stagne. Ils en produisaient 200 avant et 200 après. Si la valeur générée par le secteur A reste dans les mains de ses concepteurs, aucune hausse des revenus salariaux n'est possible. Dans ce cas, la part des superprofits du secteur A, celle des superstars d'Hollywood dans le modèle de Baumol, augmente jusqu'à représenter… un tiers du PIB (les 100 du secteur A sur une richesse globale de 300). Même à supposer qu'ils n'en gardent qu'une partie, disons la moitié, la hausse des profits des super-riches augmente de 15 % du PIB, et la croissance du reste de l'économie croît péniblement de 0,4 % l'an. On est ici très proche des chiffres réels de la situation américaine !

Les États-Unis forment en réalité deux pays en un. Un premier enregistre une croissance de type asiatique : il est peuplé du 1 % le plus riche, dont le taux de croissance est de presque 7 % l'an depuis trente ans… L'autre sous-pays connaît une croissance qui se situe à des niveaux « européens », entre 1 % et 1,5 % pour les 99 % restants. Et si l'on descend plus bas, pour les 90 % les moins dotés, la croissance est nulle[1]…

---

1. 70 % de la croissance produite aux États-Unis entre 1993 et 2012 a été captée par le top 1 % ! (Emmanuel Saez, « Striking it richer », Berkeley, mise à jour janvier 2015).

Le capital

L'impact des technologies numériques conduit ainsi à réfléchir au concept clé de *capital*, remis sur le devant de la scène par les données rassemblées au terme d'un travail héroïque par Thomas Piketty[1]. Deux phénomènes se cumulent dans la période récente : la montée des inégalités de salaires, portée à incandescence aux États-Unis notamment, et la montée du patrimoine financier qui s'observe dans la plupart des pays. Que ces deux phénomènes soient liés est indubitable, mais la question est de savoir par quels enchaînements causaux.

Une lecture possible du mécanisme à l'œuvre est la suivante : la montée des inégalités de revenus permet l'apparition d'une classe de nouveaux riches dont le patrimoine s'accumule. Ce capital devient une force destructrice pour les ouvriers. Il appauvrit le travail selon les mécanismes analysés par Marx : les machines achetées mettent la pression sur les ouvriers. Le problème de cette interprétation est toutefois le suivant : la hausse du patrimoine s'observe partout, y compris dans les pays où la hausse des inégalités a été négligeable. Ainsi, la part du 1 % le plus riche passe de 7 % à 20 % du revenu total aux États-Unis entre 1980 et 2010, alors que la hausse est à peine visible dans le cas français, passant de 7 % à 8 % au cours de la même période. À l'inverse, lorsqu'on examine le patrimoine (en pourcentage du PIB), il passe de 360 % à 600 % en France, alors que la progression est beaucoup plus

---

1. Thomas Piketty, *Le Capital au XXIe siècle*, Le Seuil, 2013.

limitée, de 380 % à 430 %, aux États-Unis. Comment comprendre ce paradoxe étonnant ?

La réponse tient à une composante cruciale du patrimoine : l'immobilier. Reprenant les données de Piketty, l'économiste Étienne Wasmer et ses coauteurs[1] ont montré que c'est la hausse des prix des logements (relativement à celui des loyers) qui explique l'explosion patrimoniale, et non la rentabilité intrinsèque du capital. Dans la mesure où la bulle immobilière a éclaté aux États-Unis mais pas en France, la valeur de l'immobilier est plus élevée chez nous. À l'inverse, dans les deux pays, le capital investi dans les entreprises reste une fraction remarquablement stable de la valeur ajoutée, autour de 200 % du PIB dans les deux cas (comme dans la plupart des pays). La valeur du capital productif n'augmente pas, malgré la numérisation croissante, car le propre des nouvelles technologies est justement qu'elles ne coûtent pas cher !

Faut-il dès lors renoncer à établir un lien entre ces trois phénomènes : la numérisation du monde, les inégalités et la hausse des patrimoines ? Non, mais l'explication doit être modifiée. Ce n'est pas le capital qui paupérise les ouvriers. C'est la paupérisation des ouvriers qui crée des bulles patrimoniales ! Reprenons ce raisonnement en faisant un détour par un concept additionnel.

---

1. « Le capital logement contribue-t-il aux inégalités ? Retour sur *Le Capital au XXI*e *siècle* de T. Piketty », Sciences Po, LIEPP Working Paper, 2014.

La stagnation séculaire

L'économiste Larry Summers (professeur à Harvard et ancien secrétaire au Trésor américain) avait lancé, lors d'une conférence au Fonds monétaire international en novembre 2013, un terme qui eut un retentissement considérable : la « stagnation séculaire ». Il reprenait le titre d'une conférence prononcée en 1938 par un autre économiste américain, Alvin Hansen, tout juste élu à la présidence de l'American Economic Association. Pour celui-ci, le ralentissement démographique américain était le principal responsable du ralentissement de la croissance, privée de la force d'entraînement que représentait le besoin d'équipement des ménages. Hansen, célèbre pour avoir importé les idées de Keynes aux États-Unis, en concluait qu'un soutien énergique de la demande solvable était nécessaire pour éviter une longue période de marasme économique et de déflation.

Le point de départ de l'analyse de Summers est ce même risque de déflation, ou plutôt de disparition de l'inflation. Celle-ci avait été la grande crainte des autorités monétaires dans les années soixante-dix, après le choc pétrolier. Elle a brusquement disparu des écrans radars. Il y a plusieurs explications du phénomène, mais le plus direct tient à l'immense pression baissière qui s'exerce sur les salaires, en réponse à la numérisation du monde et à la précarisation du travail (routinier) qu'elle provoque. L'inflation est rarement un phénomène monétaire et beaucoup plus souvent un phénomène salarial. Lorsque l'inflation est faible, les autorités monétaires doivent mener une politique laxiste, en baissant les taux d'intérêt pour activer la croissance. Or le problème est que les taux d'intérêt ont du mal à descendre plus bas que zéro… C'est à ce titre que Summers annonçait le retour d'une « stagnation séculaire », signe de l'incapacité nouvelle des politiques monétaires à relancer l'économie.

Le problème des taux d'intérêt faibles est aussi qu'ils sont propices aux bulles financières. Reprenons l'exemple du logement. Lorsque les taux baissent, le coût des crédits immobiliers diminue aussi. Le pouvoir d'achat des accédants à la propriété augmente, au moins au début. Cela déclenche immanquablement une hausse des prix immobiliers. Le passage de taux d'intérêt de 10 % à 1 % peut potentiellement multiplier par dix le prix d'un logement[1] ! Le même raisonnement s'applique à l'ensemble des actifs financiers. Ainsi, aux États-Unis, les indices boursiers ont bel et bien été multipliés par dix depuis 1980 ! Un tiers seulement de cette hausse s'explique par la hausse des profits, les deux tiers par des effets de valorisation liés en grande partie à la baisse des taux.

---

1. Considérons un appartement dont le loyer rapporte 1 000 chaque année. Sa valeur patrimoniale est très différente selon que le taux d'intérêt vaut 10 % ou 1 %. Si le taux d'intérêt est 10 %, le logement vaut 10 000, puisque c'est à ce prix qu'il paie 10 % chaque année. Mais si le taux d'intérêt vaut 1 %, le prix du logement vaut 100 000 : c'est en effet à ce prix que le rendement (le loyer vaut toujours 1 000) descend au niveau désiré : 1 %. Il y a donc ici une hausse qui peut être phénoménale (d'un facteur 10 dans notre exemple) qui est induite par la baisse des taux d'intérêt, laquelle résulte presque mécaniquement de la baisse de l'inflation salariale. Notons ici que les rendements de l'immobilier s'effondrent. Ce n'est pas la hausse du profit qui provoque la hausse du patrimoine, mais sa baisse…

Il est donc possible de résumer le lien entre la hausse des patrimoines et les inégalités salariales de la façon suivante. Les logiciels font pression sur les salaires, l'inflation chute, les taux d'intérêt aussi, et le gagnant est le patrimoine, financier ou immobilier... C'est donc la déflation salariale qui provoque la hausse du patrimoine et non l'inverse ! Ainsi s'explique aussi pourquoi la croissance à l'âge numérique est faite de bulles et de krachs, qui scandent inlassablement ses hauts et ses bas.

Les conclusions de politique économique en découlent. Dans la mesure où la hausse du patrimoine tient principalement à l'immobilier, il faut construire davantage de logements, seul mécanisme véritablement efficace pour lutter contre la hausse des prix[1] ! La mauvaise manière d'y répondre est celle qui avait conduit à la crise des subprimes : en poussant les ménages américains les plus pauvres à s'endetter en pariant sur la bulle immobilière (et compenser leur manque de salaires...), on les a finalement ruinés.

Mais au-delà de l'immobilier, la chute du coût de la dette crée des opportunités d'investissement qui ne demandent qu'à être saisies. Un immense besoin d'investissements est en effet patent dans le domaine écologique[2]. C'est sur ce terrain qu'une action publique, au niveau planétaire, est à la fois le plus nécessaire et le plus ardue.

---

1. La réponse de l'offre à la hausse du prix immobilier explique pourquoi les bulles immobilières peuvent être évitées si le secteur de la construction est suffisamment réactif... Les travaux d'Edward Glaeser explicitent ce processus. Lire *Triumph of the Cities*, Penguin, 2012.

2. La consommation d'énergie par l'informatique est elle-même considérable, représentant déjà 10 % de la production d'électricité totale.

De collapsus novum

Les pays riches se débattent dans la « stagnation séculaire » mais, pendant ce temps, les pays émergents connaissent une croissance époustouflante. Depuis le milieu des années quatre-vingt-dix, elle est supérieure à 4 % l'an, chiffre proche de celui enregistré en France pendant les Trente Glorieuses. Au prisme de la croissance mondiale, les prédictions des théoriciens de la croissance endogène, pariant sur un doublement de la croissance, se réalisent. Nous entrons dans le troisième big-bang de l'histoire humaine : l'apparition d'une croissance forte du revenu par habitant… pour les pays les plus peuplés.

L'explosion démographique des pays en voie de développement fut longtemps un frein à leur développement. Quelques chiffres donneront la mesure du phénomène. L'Égypte, terre d'islam, est passée de treize millions d'habitants en 1913 à soixante-dix millions aujourd'hui et devrait atteindre cent millions en 2025. Le Brésil, très catholique, est passé de cinquante millions en 1950 à cent cinquante millions d'habitants aujourd'hui. L'Inde bondit, entre le début et la fin du

XXe siècle, de trois cents millions à plus d'un milliard d'habitants.

Ce séisme a été contrarié par un miracle silencieux, qui s'est produit partout dans le monde : la fécondité féminine a soudainement chuté. Pour reprendre l'exemple de l'Égypte : en 1950, on comptait sept enfants par femme ; on est aujourd'hui à 3,4 enfants par femme. Au rythme engagé, il ne fait pas de doute que la transition démographique (le passage sous le seuil de 2,1 enfants par femme, à partir duquel la population décline) sera accomplie en 2025. L'Indonésie, pays musulman le plus peuplé, donne la même image : en 1950, la moyenne était de 5,5 enfants par femme, on est aujourd'hui à 2,6 enfants par femme, la fin de la transition démographique est également toute proche. En Inde, l'évolution a été de même nature : on est passé de 6 à 3,3 enfants au cours de la même période. Selon les prévisions des Nations unies, pour la planète dans son ensemble, la transition démographique sera achevée au plus tard en 2050, date à partir de laquelle la population terrestre entamera un déclin, peut-être inexorable[1].

Comment comprendre le « miracle » que représente cette transition ? Les économistes ont voulu croire qu'elle a résulté de l'amélioration des perspectives de croissance. Lorsque les femmes se voient offrir un

---

1. L'Afrique semble être une exception mais ne l'est pas. La fécondité est passée de 7 à 5 enfants par femme et devrait se poursuivre, pour atteindre, selon l'ONU, 2,5 enfants en 2050. Le Pakistan est un contre-exemple qui cache parfois la forêt des transformations à l'œuvre dans les autres pays musulmans.

salaire plus élevé, la demande d'enfants diminue, car elles ont mieux à faire que de rester dans leur rôle d'agents reproducteurs. Pour Gary Becker, professeur à Chicago, un cercle vertueux peut alors s'engager[1]. On a moins d'enfants, mais on s'en occupe mieux. Les parents cherchent à leur préparer un meilleur destin en les scolarisant, et les perspectives de croissance se renforcent. Théorie brillante, mais qui ne semble pas la bonne, en tout cas elle n'est pas suffisante. Cette transition démographique s'est produite aussi dans des régions où les conditions matérielles ne se sont guère améliorées. On l'observe dans les campagnes comme dans les villes, que les femmes travaillent ou pas.

L'explication donnée par les démographes des Nations unies est d'ordre culturel. Les femmes du monde entier ont vu à la télévision un modèle qui les a fascinées : celui d'Occidentales (ou de Japonaises) dont le mode d'existence (télévisuel) est devenu pour elles une aspiration à la liberté. Les soap operas brésiliens se sont révélés plus forts que l'Église, qui était pourtant parvenue à bloquer le planning familial[2]. C'est un changement de mentalité, et non un changement d'incitations financières, qui explique la transition démographique.

---

1. Gary Becker, *A Treatise on the Family*, Chicago University Press, 1981.

2. Lire Eliana La Ferrara *et al.*, *Soap Operas and Fertility : Evidence from Brazil*, NBER, 13718, octobre 2008.

Les progrès de la santé jouent aussi leur rôle[1]. Les morts prématurées d'enfants, fléaux qui ont longtemps constitué l'ordinaire, ont reculé. Aujourd'hui, même les enfants les plus déshérités d'Afrique subsaharienne ont plus de chances de survivre à leurs cinq premières années qu'un jeune Anglais en 1918[2]. La baisse de la mortalité réduit la peur de perdre ses enfants, et diminue aussi la fécondité.

Alors que les pays riches subissent une double peine – ralentissement de leur croissance et hausse des inégalités –, le monde dans son ensemble enregistre un mouvement exactement inverse : la croissance mondiale est forte et les inégalités planétaires diminuent[3]. L'enrichissement du tiers-monde est de ce point de vue une très bonne nouvelle. Mais sur un point hélas essentiel, il ne l'est pas : il n'est pas compatible avec la conservation de

---

1. L'espérance de vie est la métrique la plus simple des progrès sanitaires de l'humanité. Une jeune fille née aujourd'hui dans un pays riche a une chance sur deux de vivre plus de cent ans. En Inde, le chiffre est de soixante-quatre ans ; en Chine, de soixante-treize ans. Un quart de la population indienne reste sous le seuil de un dollar par jour ; un septième en Chine. Aux bénéfices directs d'une santé protégée s'ajoute l'effet indirect de la scolarisation. Le fait de s'éduquer désormais jusqu'à vingt-deux ou vingt-trois ans aurait été impensable dans une société où l'espérance de vie est à quarante-quarante-cinq ans ! Voir Daniel Cohen et Laura Leker, « Health and education, another look with the proper data », CEPR, n° 9940, février 2014.

2. Angus Deaton, *The Great Escape*, Princeton University Press, 2013.

3. Un milliard d'humains, autant que la population mondiale en 1800, restent toutefois prisonniers de la misère, disposant d'un niveau de vie de un dollar par jour. En masse, la misère est intacte ! Ce n'est qu'en termes relatifs qu'elle s'est réduite. Mais il est vrai que nos jugements sont (presque) toujours relatifs.

la planète ! Si la Chine devait se caler sur les habitudes de consommation américaines, elle pourrait consommer, dès 2030, les deux tiers de la production mondiale de céréales telle qu'elle est disponible aujourd'hui. Si sa consommation de papier rejoignait celle des États-Unis, elle en consommerait 300 millions de tonnes : de quoi engloutir l'ensemble des forêts ! Si les Chinois devaient un jour posséder, selon l'exemple américain, trois véhicules pour quatre habitants, les infrastructures nécessaires en termes de réseaux routiers ou de parkings dépasseraient la superficie aujourd'hui consacrée à la culture du riz[1]. Comme le résume Lester Brown, « Le modèle économique occidental est inapplicable à une population de 1,45 milliard de Chinois (en 2030). » Et pas davantage évidemment à l'Inde dont la population sera à cette date supérieure à celle de la Chine[2].

Le réchauffement climatique

En 1827, le Français Joseph Fourier avait montré que l'atmosphère terrestre piège la chaleur : si elle n'existait pas, la Terre serait bien plus froide. Les gaz à effet de serre (le CO_2, la vapeur d'eau, le méthane) ont en effet une propriété étonnante : ils laissent entrer la radiation solaire mais piègent la chaleur qui en résulte, comme

---

1. L'une des causes des problèmes alimentaires du monde tient au fait que désormais la nourriture et le carburant sont en compétition pour les terres arables. Il est évidemment ridicule que cette dernière industrie soit subventionnée par les gouvernements.
2. Lester Brown, *Le Plan B*, trad. fr. Hachette Littératures, coll. « Pluriel », 2007.

dans une serre. Le réchauffement climatique devient par leur faute la plus inquiétante manifestation des effets de l'industrialisation de la planète.

L'unité de mesure de la concentration des gaz à effet de serre est la ppm (partie par millions : le nombre de molécules de CO_2 par millions de molécules totales dans l'air). Elle est passée de 285 ppm en 1800 à 435 aujourd'hui. Tout au long des huit cents derniers millions d'années, cette concentration a fluctué, au gré des inclinaisons de l'orbite terrestre, entre 200 et 300 ppm. Au rythme actuel, elle pourrait atteindre 750 ppm à la fin du XXIe siècle. À ce niveau, les températures auraient une chance sur deux de dépasser de 5 °C le niveau atteint à la veille de la révolution industrielle, un seuil inédit depuis trois millions d'années. Ce serait l'équivalent, en valeur absolue, de ce qui s'est produit à la fin du dernier âge glaciaire. Notre civilisation est née de ce réchauffement de 5°, elle se mettrait en péril en le doublant[1].

Pour les scientifiques, une hausse de 2 °C par rapport aux niveaux pré-industriels est la limite à ne pas dépasser. Au-delà de ce seuil, tous les dérèglements sont possibles. Certains sont déjà visibles : hausse du niveau des mers, transmission de maladies à des régions comme les hauts plateaux africains qui en étaient protégés par un climat tempéré, désertification accrue, raréfaction des eaux disponibles combinée à la menace de forte accélération de fonte des glaciers et de déluges nouveaux. Des événements de probabilités certes faibles mais aux

---

1. Sur tous ces points, lire Roger Guesnerie et Nicholas Stern, *2 économistes face aux enjeux climatiques*, Le Pommier, 2012.

conséquences imprévisibles pourraient se produire. Si le Gulf Stream était détourné, par exemple, l'Europe subirait une nouvelle ère glaciaire...

Un nombre complexe de facteurs s'ajoutera également aux émissions de CO_2 à venir. Lorsque les glaces de la toundra vont fondre, il est possible qu'en soient libérées de nouvelles quantités. Le réchauffement des océans pourrait également libérer le CO_2 et le méthane qui sont aujourd'hui emprisonnés dans les mers. Un autre exemple est celui de la cryosphère, nom donné à la glace qui est à la surface des terres et des océans. Si la fonte de la calotte glaciaire du Groenland se produisait, elle provoquerait une hausse de cinq mètres du niveau des mers !

Une hausse moyenne de 5 °C signifierait que certaines régions subiraient des augmentations beaucoup plus sévères, de 10 °C ou plus. L'Europe du Sud ressemblerait au sud du Sahara d'aujourd'hui. Les températures à New York, en 2100, pourraient grimper de 7 °C et les vagues de chaleur doubler par rapport à la période 2000-2010[1].

L'anthropocène

C'est le terme, forgé par le prix Nobel de chimie 1995 Paul Crutzen, pour désigner notre époque. Il s'oppose à l'holocène, qui est le nom donné aux dix mille dernières

---

1. Stéphane Lauer, dans *Le Monde* daté du 24 février 2015, citant Cynthia Rosenzweig, du Earth Institute de l'université de Columbia, « Les températures à New York pourraient grimper de sept degrés ».

années. Dans un article publié avec trois coauteurs, il donne un aperçu saisissant des évolutions en cours[1]. Ils précisent tout d'abord que le terme « anthropocène » marque une accélération davantage qu'un changement de nature. Les désastres écologiques des humains ne datent pas des deux derniers siècles, ni même de la découverte de l'agriculture ! Les premiers *sapiens* occupant l'Amérique avaient provoqué un désastre écologique tel que la présence des mammifères y avait été quasiment éteinte (hors le lama dans les Andes…). Durant la période du pléistocène (qui précède l'holocène), on a assisté à l'extinction de la mégafaune, des mammouths au nord de l'Eurasie et des marsupiaux géants en Australie. La domestication des animaux, commencée il y a cent soixante mille ans avec les chiens et se continuant avec les moutons et les chèvres, puis la découverte de l'agriculture, d'abord en incendiant les forêts, ensuite par l'irrigation, ont apporté d'immenses bouleversements à la « nature ».

Jusqu'à la révolution industrielle, toutefois, l'impact écologique des humains est resté local, à l'intérieur des marges de variations ordinaires. C'est avec l'industrialisation qu'une rupture décisive au regard de l'histoire géologique a été engagée. Jusqu'à celle-ci, l'humanité s'était appuyée pour l'essentiel sur les seules énergies renouvelables (le vent, l'eau, la végétation et les animaux) pour assurer ses besoins énergétiques. Le charbon puis le pétrole (et le gaz) ont été les deux facteurs sans

---

1. Will Steffen, Paul J. Crutzen et John McNeill, « The Anthropocene : are humans overwhelming the great forces of nature ? », *Royal Swedish Academy*, 2007.

lesquels la première et la seconde révolution industrielle auraient été impossibles. Les sociétés industrielles ont multiplié par quatre ou cinq les besoins en énergie par rapport aux sociétés agraires, lesquelles avaient elles-mêmes multiplié par trois ou quatre les besoins des sociétés de chasseurs-cueilleurs. La capture de la ressource énergétique a permis qu'un milliard d'humains aujourd'hui bénéficient du niveau de vie que seuls les rois et certains de leurs courtisans avaient connu aux temps anciens. Entre 1800 et 2010, la population a été multipliée par sept, et le besoin énergétique par quarante[1].

La logique de l'action collective

On voudrait croire que l'âge de la science a changé la nature des débats. Ainsi, lorsque la couche d'ozone a été menacée du fait des gaz utilisés dans les vaporisateurs, un accord avait été trouvé. Dans un autre ordre d'idée, le tabagisme avait fini par régresser face à la multiplication des preuves qu'il était cancérigène. Nous entrons, toujours à suivre Crutzen, dans un troisième âge (après la première phase de changement d'échelle, puis l'âge

---

1. L'augmentation de la population a elle-même été rendue possible par l'un des secteurs clés de la révolution industrielle, l'industrie chimique. Le procédé du chimiste allemand Fritz Haber a permis la synthèse de l'ammoniac grâce à la nitrogène, transformant en quelque sorte « l'air en engrais ». Le procédé Haber-Bosch (Bosch est l'industriel qui a accompagné Haber) a révolutionné l'agriculture, permettant l'explosion démographique du XXe siècle.

de l'accélération), celle de la prise de conscience. Sera-t-elle suffisante ?

Les partisans du *business as usual* expliquent que le réchauffement climatique n'est pas si grave, certains poussant même le cynisme jusqu'à expliquer que les villes sont désormais suffisamment nombreuses pour offrir des alternatives aux régions menacées, et qu'il est donc possible d'aménager au fil de l'eau le processus d'ensemble... Le problème est qu'une telle attitude crée le risque d'une formidable irréversibilité. Si les dérèglements devaient être pires que prévu, le retour en arrière deviendrait impossible. Et Crutzen de conclure : « Le temps que les humains réalisent que le *business as usual* ne marche pas, l'effondrement de la société moderne, mondialisée, sera devenu l'une des issues possibles d'une évolution non contrôlée. »

Peut-on « découpler » la croissance économique et les dégâts environnementaux ? En termes relatifs certainement, on peut (et on a commencé à) diminuer le contenu en carbone de la croissance. Mais à ce jour, on n'a jamais réduit – à l'échelle d'une décennie – la croissance absolue des émissions de carbone. Pour tenir l'objectif de 2 °C (par rapport aux niveaux pré-industriels), il faudrait faire tomber les émissions de 50 milliards de tonnes actuellement à 20 milliards en 2050, soit une baisse d'un facteur 2,5. Si la production était multipliée par un facteur 3 d'ici à 2050 (soit une croissance moyenne du PIB mondial de 3 % l'an), cela voudrait dire que le contenu en carbone de la production devrait être réduit d'un facteur 7,5 ! Aucune mesure technique ne suffira à atteindre cet objectif. À suivre ainsi la conclusion désabusée de Tim Jackson, auteur remarqué de *Prospérité sans croissance* : « Pour être franc, il n'existe à ce jour aucun scénario de croissance permanente des revenus qui soit crédible, socialement juste, écologiquement soutenable dans un monde peuplé de neuf milliards d'habitants[1]. »

En stricte théorie économique, le remède aux émissions de CO_2 est simple. Il « suffirait » que les Nations unies créent un marché global des droits à émettre des gaz à effet de serre. Chaque État disposerait d'un quantum de droits, et pourrait les échanger s'il le souhaite, en fonction du prix du marché. C'est la formule qui a été adoptée en Europe, dans la foulée de la conférence de Kyoto. C'est une mesure qui est aujourd'hui, politiquement, totalement hors de portée[2].

Les sociétés démontrent en effet une capacité étonnamment faible à se projeter dans le futur. La difficulté de l'action collective, lorsqu'on doit payer des coûts immédiats pour un objectif de long terme mal mesuré, est considérable. L'histoire humaine est jalonnée d'exemples d'« histoire brisée », de civilisations qui ont dû faire marche arrière, comme l'Europe après la chute de Rome, ou comme le premier capitalisme industriel lorsqu'il a compris le désastre que représentait l'état physique et moral des ouvriers, sans compter les effondrements de civilisations décrits par Jared Diamond, à commencer par celui de la Mésopotamie, qui fut le

---

1. Tim Jackson, *Prospérité sans croissance*, trad. fr. De Boeck, 2010.
2. La taxe carbone est une alternative à ce système. Elle a le mérite d'obliger tout le monde à payer un prix donné et de collecter (de manière plus prévisible) des ressources qui peuvent financer des investissements. Une combinaison des deux est évidemment possible.

siège du premier État[1]. Le problème, comme Mancur Olson l'avait montré, est que les changements les plus importants viennent le plus souvent après une guerre ou une crise majeure. Le défi du monde contemporain est de devoir forger un nouveau cadre par temps de paix, et si possible avant que la crise n'éclate[2] !

L'idée d'humanité qui est convoquée au tribunal du réchauffement climatique est à certains égards prématurée au regard de l'état du monde d'aujourd'hui. Il est peu probable qu'une action collective d'ampleur suffisante puisse être mobilisée par la seule évocation du risque planétaire. Pas davantage qu'on ne peut exiger d'une personne anxieuse ou dépressive qu'elle arrête de fumer, on ne peut attendre des sociétés modernes, déjà traversées par d'immenses inquiétudes, qu'elles se mobilisent spontanément sur un objectif planétaire. Inquiètes de la disparition de la croissance, les sociétés avancées ont peu d'appétence pour des mesures qui pourraient la réduire, et les pays émergents ne voient pas pourquoi ce serait à eux de se priver de la civilisation matérielle dont les pays riches profitent déjà abondamment. Pour

---

1. Jared Diamond, *Effondrement . comment les sociétés décident de leur disparition ou de leur survie*, trad. fr. Gallimard, 2006.

2. D'immenses besoins de recherche et développement sont nécessaires pour faire advenir une société d'énergie renouvelable. Le stockage de l'énergie solaire ou les infrastructures de réseaux exigeront des investissements considérables, qui devraient a minima être subventionnés par une partie des taxes ou droits d'émission écologiques. Daron Acemoglu, Philippe Aghion *et al.* proposent une défense subtile des incitations publiques à la recherche en ce domaine dans « The environment and directed technical change », *American Economic Review*, 2012.

trouver les ressources morales et politiques qui leur permettent de se hisser à la hauteur du risque écologique, il faut que nos sociétés passent par un préalable décisif, qui est de (re)trouver confiance dans leur possibilité de construire un avenir partagé. Y parviendront-elles ?

III.

REPENSER LE PROGRÈS

La (nouvelle) grande transformation

« À partir des années soixante-dix, nous sommes entrés dans une "grande transformation" qui a brisé la croyance en un avenir meilleur. C'est une banalité de le dire, mais il faut en faire un constat qui commande la réflexion contemporaine sur l'état de la société : le monde social a très profondément changé. » Ces propos sobres du sociologue Robert Castel, repris dans un livre d'hommages, *Changements et pensées du changement*[1], résument parfaitement la situation courante. Ils marquent la perte d'une idée si vivace dans les années soixante, celle d'une société porteuse d'un idéal : le progrès[2] !

---

1. Claude Martin éd., La Découverte, 2012.
2. Toute la pensée des années soixante était marquée, selon Castel, par une « contradiction entre une société qui allait de l'avant, qui portait d'immenses ressources pour progresser et dont on proclamait officiellement les mérites en termes de triomphe de la démocratie, et qui dans le même temps déployait des pratiques réelles marquées par des rapports d'exploitation et de domination et par l'exercice constant d'une violence directe ou symbolique ».

En France comme dans la plupart des autres pays les plus riches, la crise, si ce terme a encore un sens, sachant qu'elle dure depuis quarante ans, a frappé surtout les catégories populaires, les privant de la promesse d'un avenir meilleur. « Dans les années soixante, la classe ouvrière était triomphante. Elle incarnait, inspirait les projets de changement social. Ce n'est plus du tout la conjoncture actuelle, ajoute Castel. Elle a complètement perdu le pouvoir d'attraction qui était le sien dans une perspective de critique sociale [...]. Parler de la classe ouvrière, ce n'est plus évoquer la possibilité d'un changement révolutionnaire ou même d'un progrès social... C'est plutôt souligner l'importance du chômage, du développement de la précarité... » La précarité n'est certes pas neuve, elle a caractérisé les premiers jours du capitalisme industriel[1]. Mais la nouveauté est qu'elle se soit désormais installée au cœur de l'État-providence qui est censé la combattre.

Partout, les classes populaires ont manifesté leur mécontentement en se détachant des partis traditionnels de gauche comme de droite. En France, les deux blocs ont subi, à l'épreuve de la crise latente des trente dernières années, un effritement qui rend difficile l'exercice classique de la démocratie. Bruno Amable n'hésite pas à parler en ce domaine d'une autre « crise systémique ». Une étude comparative européenne sur les comporte-

---

1. C'est à partir des années trente du XIXᵉ siècle que l'inquiétude, et l'intérêt pour la situation des classes laborieuses se révèle. Louis Villermé décrira en 1840 dans son célèbre rapport, *Tableau de l'état physique et moral des ouvriers employés dans les manufactures de coton, de laine et de soie*, le travail des enfants, dont la durée était de quatorze heures par jour.

ments électoraux a montré que les électeurs les plus mobiles appartiennent désormais aux classes les moins aisées et non aux classes moyennes, contrairement aux modèles électoraux des sciences politiques selon lesquels les électeurs situés au centre font et défont les majorités. Du côté des partis « de gouvernement », la tendance a été de voir le noyau dur de leur base électorale se limiter aux catégories moyennes et supérieures. La crise accroît aussi la frustration des peuples à l'égard de la démocratie.

C'est peu dire que la société postindustrielle peine à trouver ses marques. Bien que moins visible que la disparition de la société rurale, la sortie du monde des usines provoque une rupture d'une importance aussi considérable. La société industrielle avait elle-même tardé à inventer, dans le fordisme et la consommation de masse, une figure rassurante. Peut-on, au moins, énoncer ce que pourrait être une issue juste et heureuse pour la société qui vient ?

Holisme et individualisme

La révolution agricole avait créé des sociétés à ordres, allant du roi au paysan en passant par le baron et le métayer, à l'opposé des sociétés égalitaires prévalant à l'époque antérieure, celle des chasseurs-cueilleurs. Avec l'avènement de la société industrielle, une nouvelle mutation s'est opérée. Comment l'interpréter ? Dans une distinction devenue classique, l'anthropologue Louis Dumont a opposé l'individualisme des sociétés modernes au « holisme » des sociétés traditionnelles.

145

Lorsque le grand tout de la société dicte à chacun ce qu'il doit faire, c'est le holisme. C'est l'inverse de l'individualisme pour lequel la société se déduit des désirs et des actions de chacun. Hier, c'était l'individu qui devait se frayer un chemin tortueux, tels les héros de l'*Iliade* forçant l'admiration des hommes, dans une société où le respect scrupuleux de l'ordre social était déterminant. Aujourd'hui, c'est le lien social qui est évanescent, dans un monde où chacun veut vivre sa vie, souvent avec un point d'exclamation !

Ruth Benedict avait décrit les traits « holistes » de la société japonaise d'une manière qui éclaire parfaitement la théorie de Dumont. Le livre de Benedict fut écrit en réponse à une commande de l'armée américaine[1]. Les Américains voulaient percer la psychologie de cet ennemi imprévisible qu'avait été le Japon. Au terme de son enquête, Benedict publiait un livre, *Le Chrysanthème et le Sabre*[2], qui illustrait les causes profondes de ces deux versants a priori inconciliables de la société japonaise, allant d'un soin méticuleux mis à la culture des fleurs à une sauvagerie innommable pendant la guerre. Auprès des lecteurs japonais, le livre avait provoqué un intérêt comparable à celui créé aux États-Unis par la publication du livre de Tocqueville : les Japonais y ont vu une description étonnamment pénétrante de leur société par un étranger.

---

1. Je suis ici l'analyse stimulante de Jean-Paul Ricœur, « La honte et la culpabilité », www.groupe-regional-de-psychanalyse.org/.../honte_et_culpabilite.pdf
2. Ruth Benedict, *Le Chrysanthème et le Sabre*, trad. fr. Picquier, 1998.

Le Japon est présenté comme une société « où le plus petit détail de comportement est programmé et le statut fixé ». L'homme et la femme viennent au monde comme accablés d'une dette à payer, à l'égard de leur famille en particulier et de la société tout entière en général. Tout manquement au remboursement de cette obligation est sanctionné d'une peine qui peut tourner à l'anéantissement et au suicide lorsque aucune réparation n'est possible. Une faute, morale, de goût, d'honneur renvoie l'individu à une solitude insoutenable qui ne peut s'éteindre qu'avec lui-même. Ruth Benedict explique ainsi pourquoi les Japonais oscillent entre accablement et colère face à une société qui n'accorde aucun pardon au manquement à ses devoirs.

La société japonaise offre un exemple archétypique des valeurs holistes dont parle Louis Dumont. Pour celui-ci, toutefois, l'abandon de celles-ci au profit de l'individualisme contemporain ne doit pas se comprendre comme un divorce définitif. Un lien global doit être préservé, sans lequel la société deviendrait irrespirable. C'est le point le plus subtil de son analyse. Le basculement des sociétés hiérarchiques vers les sociétés individualistes n'est possible que dans la mesure où une confiance de type holiste se maintient face aux déchaînements des intérêts particuliers. Dans son livre *L'Idéologie allemande*, publié en 1991, il explique ainsi que « l'individualisme est notre valeur cardinale, et il le restera. Mais on se tromperait lourdement si l'on supposait […] qu'il peut régner partout, monolithiquement en quelque sorte. La configuration individualiste a, tout au long de son existence, été combinée à des notions, valeurs, institutions plus ou moins contraires. [...] L'individualisme est incapable [...] de régner sur toute la société. Il n'a jamais été capable de fonctionner sans que le holisme contribue à sa vie de façon inaperçue et en quelque sorte clandestine »[1].

Homo æqualis ?

Comment les sociétés modernes, habitées par l'individualisme, préservent-elles aujourd'hui un tel lien ? Cette question, qui ne cesse d'obséder nos contemporains, ne se pose en fait, dans sa radicalité, que depuis peu. Si le passage de la société rurale à la société industrielle a bouleversé l'organisation économique des sociétés agraires, la mutation sociologique a été beaucoup plus tardive. Louis Dumont saisit le passage de l'*Homo hierarchicus* à ce qu'il appelle l'*Hmo æqualis* dans les récits qui en sont donnés par les nouveaux penseurs de l'analyse économique, au XVIIIe siècle, de Bernard Mandeville à François Quesnay et Adam Smith. Dans la réalité sociale, dans la famille comme dans l'usine, la société industrielle conserve en fait bien des traits du monde ancien.

Reprenant à sa manière ce débat, le sociologue Ronald Inglehart a offert une grille d'interprétation qui permet

---

1. Dans leur livre *Le Mystère français* (Le Seuil, 2012), Hervé Le Bras et Emmanuel Todd montrent comment la France a incarné, dans sa géographie autant que dans son histoire, ces diverses manières de fonder la société, en fonction du régime familial (famille souche ou nucléaire) et de la densité de population (habitat groupé ou dispersé).

de comprendre la nouveauté de l'individualisme du monde contemporain. Il propose de distinguer deux étapes : celle qui assure le passage de la société rurale à la société industrielle, puis celle qui fait passer de la société industrielle à la société postindustrielle. La première rupture, du monde agraire vers le monde industriel, marque la transition d'un ordre religieux à un ordre séculier. On croyait en Dieu, on croit désormais en la Raison. Les ingénieurs remplacent les prêtres. Cette première étape reste toutefois inscrite dans une conception hiérarchique de la société. La chaîne de commandement – qui va du P-DG à l'ingénieur et à l'ouvrier en passant par le contremaître – est aussi stricte que celle qui va du roi à ses barons et à leurs paysans. Religieuses, les autorités deviennent laïques. Cette première transition correspond au « désenchantement du monde » dont parle Max Weber, lorsque la magie ou la foi laisse place à la raison comme principe organisateur de la société.

Pour Inglehart, ce n'est que dans un deuxième temps que surgit la société individualiste, concomitante de la sortie du monde industriel. Dans le nouveau régime, l'affirmation de soi (la *self-expression*) devient l'élément fondateur de la société. « Elle donne lieu à un nouveau type de société humaniste, centré sur l'épanouissement des personnes. » La première vague de « modernisation » a pu déboucher sans contradiction sur le fascisme ou le nazisme. Hitler était fasciné par Ford et la réciproque était vraie. Elle n'a eu aucun mal à se mouler dans le totalitarisme. C'est la seconde vague, postindustrielle, qui favorise, selon Inglehart, l'émergence d'une société d'émancipation.

Cette transition a été analysée, dans des termes proches, par Daniel Bell, dans son livre *Les Contradictions culturelles du capitalisme*, publié en 1976, dans lequel il proposait une brillante analyse des ambiguïtés de la société industrielle. Le décalage entre le fonctionnement hiérarchique du monde productif tranche avec la société de consommation qu'il installe. Il faut être *straight by day, swinger by night*, expliquait-il, ce que Henri Weber traduira ainsi : « consciencieux le jour et bambocheur la nuit ». Cette contradiction est la marque d'une société hybride, entre deux mondes[1].

Rémy Palin, dans un livre consacré au bonheur en France[2], avait montré les obstacles rencontrés par cette idée nouvelle dans la psychologie de la France d'après guerre, tant auprès des ouvriers que des élites. Les ouvriers, communistes dans leur majorité, avaient tendance à associer le bonheur à un idéal « petit-bourgeois », fait pour les détourner de la révolution. Mais les élites, elles aussi, méprisaient la société de consommation comme une « aspiration animale au plaisir [et lui opposaient] une plus haute conception de la dignité humaine ». Malgré ce double front du refus, communiste et catholique, un basculement s'est opéré durant les années soixante. La société de consommation a progressivement imbibé les consciences. La télévision, qui conduit à rester allongé dans son fauteuil le soir, a joué un rôle considérable dans cette évolution. Selon le sociologue américain Robert Putnam, c'est par son entremise que s'est installée une société véritablement individualiste…

---

1. Henri Weber, *Que reste-t-il de Mai 68 ?*, Le Seuil, 1998.
2. *Histoire du bonheur en France depuis 1945*, Robert Laffont, 2013.

Mai 68 et ses ennemis

Mai 68 est le point d'orgue de cette métamorphose. La charge contre une société d'ordres est lancée. Partout ! À l'université comme à l'usine ou dans les familles, Mai 68 conteste les autorités hiérarchiques. Elle est un trait commun à tous les pays industrialisés. « Mai 68 n'est pas un événement franco-français, écrira Henri Weber. Sa dimension, sa réalité sont d'emblée internationales. Aux États-Unis, en Europe occidentale, au Japon, il s'agit bel et bien d'un seul et même mouvement : mêmes forces motrices, mêmes idéologies, mêmes mots d'ordre, mêmes pratiques. » Pour Luc Boltanski et Ève Chiapello[1], Mai 68 signe la rencontre entre ce qu'ils appellent la critique artiste et la critique sociale du capitalisme. Les « poètes maudits » du XIXᵉ siècle, en rupture avec le conformisme bourgeois de leur époque, forment le socle de la contre-culture qui éclôt en Mai 68. La nouveauté est que cette révolte artiste entre en résonance avec la critique sociale du capitalisme, pour laquelle le prolétariat porte l'idéal du progrès, celui d'une société sans classes.

Rétrospectivement, Mai 68 apparaît comme le point culminant d'une époque, au moment où elle commence à décliner. Dès le tournant des années quatre-vingt, une révolution conservatrice se prépare. Les discours prononcés contre Mai 68 prennent une ampleur croissante. Comme le montre Serge Audier[2], la cible de

---

1. *Le Nouvel Esprit du capitalisme*, Gallimard, 1999.
2. Serge Audier, *La Pensée anti-68*, La Découverte, 2008.

ses adversaires est presque toujours le célèbre « il est interdit d'interdire », qui symboliserait l'individualisme radical de Mai 68. « "Vivre sans temps mort et jouir sans entraves" prépare ainsi aux yeux de ses contempteurs un nouvel impératif productif : celui de la lutte contre les temps morts au travail et de la publicité. » Gilles Lipovetsky, s'inspirant de Richard Sennett ou Christopher Lasch, dénonce ainsi la manière dont l'anti-conformisme de Mai 68 annoncerait en fait un nouveau conformisme, celui de la société marchande qui a besoin de « nouveautés permanentes » pour exister.

Selon ces auteurs, l'individualisme le plus étroit et le plus asocial du monde contemporain serait ainsi le fruit des sixties. Le vieux conformisme de groupe a laissé place à un nouveau conformisme lié à cette révolution. Une analyse des chansons à la mode a montré, par exemple, un usage croissant du terme « Je » ou « Moi ».

Les conservateurs des années quatre-vingt vont prolonger ces critiques de l'individualisme en construisant un raisonnement en deux temps. Ils instruisent tout d'abord le procès de l'État-providence, qu'ils caractérisent comme un État infantilisant. Ils s'allient ainsi au libéralisme économique contre la gauche, pour dénoncer l'assistanat, la perte de la valeur travail et des liens familiaux. Mais une fois cette critique faite, ils l'attaquent ensuite au nom de la nation et de la famille. Ils dénoncent ainsi les aveuglements de l'idéologie libérale tout en montrant qu'elle n'en a pas moins raison face à ses adversaires de gauche.

La montée d'une pensée anti-68 et le retour en force de valeurs traditionnelles, qu'il s'agisse de la famille,

152

du travail ou de la patrie, se sont faits à une vitesse spectaculaire. Une telle inversion ne devrait certes pas étonner, elle s'est observée plusieurs fois. Révolution et contre-révolution rythment la marche de l'histoire, qui n'avance pas en ligne droite mais en spirale, comme disait Mme de Staël. La contre-révolution conservatrice peut certainement s'interpréter comme une pause dans un processus de plus long terme qui lui échappe. La pensée anti-68 n'est pourtant pas seulement une réaction inévitable à un mouvement intellectuel. Elle marque aussi les déceptions que l'économie allait réserver par la suite, avec la découverte du chômage et de la précarité. L'espérance d'une deuxième modernité, postmatérialiste, va être battue en brèche par une réalité plus rude, provoquant la nostalgie d'une société industrielle qui fut pourtant honnie.

L'autonomie et la survie

L'individualisme contemporain n'est pas une invention de Mai 68, même s'il lui a donné une nouvelle jeunesse. Intellectuellement, sa source se situe dans l'humanisme de la Renaissance, et rejaillit avec la philosophie des Lumières. Celles-ci installent l'autonomie comme valeur cardinale. Comme le souligne Tzvetan Todorov[1], autonomie ne signifie pas autosuffisance. « Notre vrai moi n'est pas tout entier en nous », disait ainsi Rousseau. La morale des Lumières est non pas subjective mais intersubjective : « [Elle] découle non de l'amour égoïste de soi, mais du respect pour l'humanité. » Les principes du bien et du mal ne sont pas innés mais doivent faire l'objet d'un consensus, que l'on établit en échangeant des arguments rationnels, fondés également sur des caractéristiques humaines universelles.

L'émancipation promise par les Lumières est de ne plus tenir aucun dogme comme sacré. Le bon citoyen est celui qui agit « selon les maximes de son propre jugement ». Ce n'est plus l'autorité du passé qui doit

---

1. Dans son livre *L'Esprit des Lumières,* Robert Laffont, 2006.

orienter la vie des hommes mais leur projet d'avenir. Pour Rousseau, la perfectibilité désigne cette capacité proprement humaine de pouvoir se rendre meilleur comme d'améliorer le monde. Mais il ajoute immédiatement que ses effets ne sont ni garantis ni irréversibles. « Le bien et le mal coulent de la même source. »

Ces idées « modernes » naissent à une époque où la révolution industrielle n'a pas encore commencé. C'est la révolution urbaine des XIe-XIIIe siècles qui en avait donné le véritable coup d'envoi, en faisant émerger un corps nouveau de clercs et de marchands émancipés des autorités traditionnelles, l'Église et l'État[1]. Le paradoxe qui rend difficile la lecture de l'histoire moderne tient au fait que la société industrielle a brisé cet élan humaniste de l'Europe de la Renaissance[2]. L'ordre séculier va remplacer l'ordre religieux, mais l'industrie, telle qu'elle s'est incarnée dans les usines au XIXe siècle et la majeure partie du XXe siècle, aura été tout sauf une école d'émancipation… Selon Inglehart, qui rejoint ici les analyses de Jean Fourastié, il faudra attendre la seconde rupture, celle qui marque le passage à une

---

1. Les universités avaient gagné à cette époque une indépendance croissante, jouant sur la rivalité des deux pouvoirs. Ainsi, pour l'historien Jacques Le Goff, « l'homme des temps nouveaux est l'humaniste, et d'abord l'humaniste italien de la première génération autour de 1400 – marchand lui-même – qui transpose dans la vie l'organisation de ses affaires… », in *Un autre Moyen Âge*, Gallimard, coll. « Quarto », 1999.

2. Au sein même des sociétés agraires, il faudrait distinguer les « empires hydrauliques », telles l'Égypte ou la Chine ancienne, qui ont exercé un degré de coercition plus élevé que les sociétés où c'est la pluie qui arrose les champs. Karl Wittfogel, *Le Despotisme oriental*, trad. fr. Éd. de Minuit, 1977.

société postindustrielle, pour reprendre le fil de cette histoire brisée.

C'est la sortie de la société industrielle qui fait émerger, toujours selon Inglehart, un nouvel idéal d'autonomie. L'éducation de masse offre à chacun les moyens intellectuels d'une pensée indépendante. L'État-providence coupe le lien de dépendance matérielle entre les enfants et les parents. Les communautés de nécessité deviennent des « affinités électives ». C'est dans ce cadre que la montée d'une spiritualité postmatérialiste émerge. La condition postmoderne est devenue la recherche d'un « sens de la vie » (*meaning of life*). Le matérialisme recule. Éducation, urbanisation, démocratisation, bouleversement des rapports de domination homme-femme : tout concourt, à ses yeux, à une société d'autonomie, de tolérance. La société postindustrielle se libère alors de l'obsession qui avait marqué les sociétés antérieures, celle de la survie économique. La multiplication par dix du revenu par habitant bouleverse les termes dans lesquels les humains réfléchissent à leur vie.

L'homosexualité est-elle un crime ?

Inglehart ne se contente pas d'exposer des thèses générales. Il en cherche la vérification méticuleuse au travers d'une enquête sociologique de grande ampleur, qui s'appuie sur le *World Value Survey* dont il a été l'un des initiateurs, pour mesurer l'évolution des mentalités. À partir de nombreuses questions, il constitue deux axes. Le premier discrimine l'opposition entre valeurs traditionnelles (religieuses) et valeurs séculières (laïques).

Le second cherche à distinguer la quête de sécurité et celle de l'auto-expression. La typologie de Inglehart « survie ou auto-affirmation » est très proche de celle proposée par Dumont ou de celle qui a été avancée par le sociologue Shalom Schwartz, qui distingue intégration et autonomie.

Le premier axe correspond à des questions telles que : « Croyez-vous en Dieu ? Souhaitez-vous une famille nombreuse ? Le divorce est-il justifié ? » Elles permettent de distinguer les valeurs religieuses des valeurs séculières. Le second axe correspond à des questions telles que : « L'homosexualité est-elle un crime ? Un travail intéressant est-il plus important qu'un travail bien rémunéré ? » L'idée est que, dans un monde incertain, inquiet (*unsecure*), les gens veulent se rassurer par des institutions sociales stables (la famille, l'autorité). Lorsque le monde devient fiable, quand l'insécurité s'éloigne, les populations deviennent plus tolérantes, elles aspirent davantage à l'autonomie, à l'auto-expression. Le respect de l'homosexualité, par exemple, est beaucoup plus prononcé chez ceux qui se réclament de valeurs postmatérialistes[1]. L'attitude vis-à-vis de l'égalité homme/femme est un autre indicateur parfaitement corrélé aux valeurs manifestant l'affirmation de soi (*self-expression*).

Parmi les pays qui valorisent à la fois les valeurs séculières et celles d'autonomie, on trouve la Suède, la Norvège et le Danemark. À l'autre bout, religieux et hiérarchique, on trouve : le Zimbabwe, le Maroc et la

---

1. Pour autant, on remarque aussi, chez les jeunes générations, quel que soit leur pays, une tendance à manifester une plus grande tolérance, et un déplacement général s'observe en faveur de celle-ci.

Jordanie. Le groupe des ex-pays communistes (Chine, Bulgarie, Russie…) se situe très haut dans l'échelle séculière et très bas (plus bas encore que le Zimbabwe dans le cas russe) dans l'échelle de l'autonomie. Dans une échelle qui va de − 2 à + 2, la France est à + 1 dans l'échelle de l'autonomie et à + 0,5 dans l'échelle laïque, quand la Suède réalise 1,5 sur chacun des deux axes. Le Japon est un cas intéressant : il est très haut dans les valeurs séculières, au-delà même de la Chine et de la Suède, mais à un niveau modéré en matière d'affirmation de soi, pour lequel il rejoint la France et l'Italie…

Analysant la manière dont l'économie façonne la société, Inglehart montre qu'il existe une corrélation significative entre l'expression de valeurs séculières et la place de l'industrie (relativement à celle de l'agriculture). Les services ne jouent ici aucun rôle explicatif. En revanche, la part des services (relativement à celle de l'industrie) est un facteur d'explication puissant du passage des valeurs liées à l'insécurité à celles de l'auto-affirmation. L'autonomie, horizon clé de la philosophie occidentale depuis les Lumières, devient – enfin – une valeur économique. La créativité est valorisée par rapport à l'autorité. Un schéma clair émerge ainsi des données : la société industrielle conduit à séculariser les sociétés, mais en maintenant un ordre fondamentalement hiérarchique. Ce sont les services qui favorisent ensuite, dans un deuxième temps, l'émergence d'une société « d'auto-expression ».

Économie et société

Ces théories de la modernisation n'éliminent évidemment pas les facteurs culturels. En termes de pouvoir explicatif, les données économiques expliquent la moitié des variables, l'autre moitié tenant à la zone culturelle. Les États-Unis constituent ainsi une exception notable à l'hypothèse d'une sécularisation progressive de la société, témoignant de beaucoup plus de religiosité que les pays ayant les mêmes caractéristiques économiques. Il faut en fait distinguer les nations de langue anglaise des autres à majorité protestante pour décrire le phénomène. En Amérique latine aussi, la religiosité est forte. À l'inverse, les sociétés de tradition confucéenne sont beaucoup plus séculières que les autres.

Dans le registre de l'auto-affirmation, les pays de tradition catholique sont en retrait sur les pays protestants. Ils manifestent un plus bas niveau de confiance que les autres, signe que les structures verticales, telle l'Église, propres à l'obéissance, affaiblissent la confiance horizontale, celle des relations interpersonnelles. La tradition confucéenne, à l'inverse, offre une plus grande capacité à se faire confiance. La France et la Chine sont à cet égard en miroir l'une de l'autre. La France est, parmi les nations riches, celui où la confiance (le *trust*) est au plus bas (au niveau de la Russie) et la Chine le pays où la confiance est parmi les plus élevées (au niveau de la Finlande et au-dessus du Japon).

Pour autant, dans un pays donné, les différences de valeurs liées à la religion sont négligeables. En Allemagne, par exemple, les catholiques sont beaucoup plus proches de leurs concitoyens protestants que de leurs coreligionnaires européens. De même, les pays anciennement d'obédience soviétique se situent au plus bas de l'échelle de confiance interpersonnelle, même s'ils sont d'origine protestante comme l'Estonie, la Lettonie et la Lituanie. Ce résultat suggère que c'est moins la nature de la foi en elle-même qui compte que la manière dont elle contribue à forger une identité collective. Bref, que la religion est soluble dans la nation !

Mythes et ressentiments

L'idée selon laquelle la société postindustrielle aurait résolu les problèmes de « survie » et permis de se focaliser sur l'affirmation de soi est trompeuse. On peut vivre au sein d'une société prospère et craindre de perdre son emploi, son statut social, et rester de ce fait constamment préoccupé par les questions de sécurité économique. En annonçant une société postmatérialiste, Inglehart répète l'erreur de raisonnement qui poussait Keynes à prédire la venue d'une société d'abondance permettant de se consacrer à l'art et à la métaphysique, alors qu'en réalité, elle reste tout aussi inquiète de richesses qu'un siècle plus tôt.

Pourquoi la richesse ne parvient-elle pas à libérer les humains des problèmes matériels ? On peut distinguer deux niveaux de réponses, même si elles sont en définitive profondément imbriquées. Celles qui se situent au niveau des individus, dont la structure du désir bride l'aspiration au bonheur. Et celles qui se jouent au niveau de l'organisation sociale, qui peuvent aggraver le mal.

Un point de départ pour analyser la première question, celle de l'aspiration au bonheur des individus, est donné par les travaux fondateurs de Daniel Kahneman et Amos Tversky, deux psychologues dont l'influence en économie a été considérable. Ils ont montré que les décisions humaines se faisaient toujours relativement à un point de référence, lequel évolue sous l'influence du milieu où l'on vit. On n'est pas riche ou pauvre dans l'absolu, mais par rapport à une attente. Quelle que soit la situation où nous nous trouvons, dans le chaud ou le froid, dans le bien-être ou le malheur, la réalité du monde qui nous héberge finit par s'imposer comme nouvelle référence. Je suis heureux ou malheureux relativement au point que je considère comme normal, lequel finit toujours par devenir celui où je me trouve… La stabilité moyenne du bien-être a conduit à comparer la recherche du bonheur à une marche sur un tapis de course (un *hedonic treadmill*). Malgré nos efforts, nous restons toujours au même point de départ.

L'homme fait ainsi preuve d'une formidable capacité d'« habituation », pour reprendre une formule employée en psychologie. Certains auteurs ont argué que l'adaptation darwinienne était peut-être responsable de cette disposition[1]. Elle requiert des jugements relatifs pour prévenir des dangers imprévus, et une « habituation » aux situations pérennes pour favoriser l'adaptation à son milieu.

---

1. Shane Frederick et George Lowenstein, « Hedonic adaptation », in *Well Being : The Foundation of Hedonic Adaptation*, D. Kahneman, Ed Diener et N. Schwarz (éd.), New York, Russell Sage Foundation, 1999.

Kahneman et Tversky soulignent toutefois un point essentiel : la réaction aux bonnes et aux mauvaises nouvelles est profondément asymétrique. En théorie économique classique, un euro de plus ou de moins crée un plaisir ou un déplaisir de même nature, l'un est affecté d'un signe plus, l'autre d'un signe moins. Or ce n'est pas ainsi que les humains ressentent les choses. L'aversion à la perte est beaucoup plus forte que la perspective du gain. Il ne s'agit pas seulement de bénéfices financiers. La perte d'une personne chère, d'un emploi ou même d'un objet familier provoque une peine beaucoup plus forte que le plaisir inverse de les retrouver.

En combinant ces deux résultats, l'« habituation » aux circonstances et la peur de descendre en dessous d'un point d'attente lui-même en constante adaptation, on trouve un résultat désespérant : la peur de manquer reste toujours aussi prégnante. Quelles que soient les précautions, elle taraude toujours les individus. S'ils cherchent à s'enrichir pour se mettre à l'abri du besoin, ce nouvel état devient vite une nouvelle référence, et tout doit être recommencé.

Mes voisins

Ce qu'on appelle le « paradoxe d'Easterlin » met en récit statistique cette quête inlassable et vaine du bonheur. L'économiste Richard Easterlin a montré, à partir de très nombreuses enquêtes, que les indices de satisfaction étaient remarquablement stables, quel que soit le niveau de richesse atteint par un pays. Le France a beau être deux fois plus riche qu'il y a cinquante ans, elle n'est pas plus heureuse, et surtout : les problèmes financiers que rencontrent les Français ne se sont pas réduits ! L'explication la plus simple du paradoxe tient à l'idée, développée par Kahneman et Tversky, que toute richesse est toujours relative, puisqu'elle est rapportée à un point de référence qui évolue avec la prospérité.

L'autre explication du paradoxe d'Easterlin tient au souci obsessionnel des humains de se mesurer aux autres. L'économiste James Duesenberry avait résumé, dès 1949, ses études sur la consommation d'une formule devenue célèbre : « *Keep up with the Jones* », « faire comme les Jones[1] » ! Ne jamais être en reste, pour la voiture ou la télévision, sur ses satanés voisins, telle est la maxime du consommateur américain !

Une étude de Luttmer sur les États-Unis avait ainsi mesuré l'effet du voisinage sur le bien-être[2]. Être plus pauvre que son entourage est une malédiction : rien n'est pire que d'être distancé par ses proches. Luttmer montre qu'on est toujours malheureux de vivre dans un canton (*county*) où la moyenne des revenus est supérieure au vôtre. Selon ses estimations, une hausse

---

1. La thèse de Duesenberry est publiée dans son ouvrage *Income, Saving and the Theory of Consumer Behavior*, Harvard University Press, 1952.

2. Erzo F. P. Luttmer, « Neighbors as negatives : relative earnings and well-being », *Quarterly Journal of Economics*, 2005. Voir également la thèse de Sarah Flèche, *Essays in Happiness Economics*, EHESS, 2014, pour un approfondissement et une critique de ces idées. Une présentation complète des théories économiques est donnée par Claudia Senik, *L'Économie du bonheur*, Le Seuil, 2014, et l'ouvrage de Richard Layard, *Happiness, a New Science*, Penguin, 2006.

proportionnelle de tous les revenus (le vôtre et celui de vos voisins) n'aurait aucun effet net sur le bien-être moyen ! En France, une enquête a cherché les critères qui conduisent les salariés à penser que leur salaire est « juste[1] ». La plupart d'entre eux s'estiment bien ou mal payés comparés aux autres, leur groupe de référence étant constitué pour moitié par leurs collègues, pour un quart par leurs camarades d'études et pour le reste par des amis ou des membres de la famille. Une expérience grandeur nature a également été réalisée sur les professeurs d'une université californienne lorsque la loi a exigé que leurs salaires soient mis en ligne. Elle a créé frustration et démission chez ceux qui ont découvert qu'ils étaient moins bien payés que leurs collègues !

La recherche du bonheur dans les sociétés modernes bute ainsi sur un obstacle simple et fondamental : les besoins sont toujours relatifs. Ce qui compte n'est pas de gagner 1 000 ou 10 000 euros, mais de savoir où l'on se situe relativement à la société qui vous entoure. Quand on demande aux millionnaires le niveau de fortune qui leur serait nécessaire pour qu'ils se sentent « vraiment à l'aise », ils répondent tous de la même manière, quel que soit le niveau déjà atteint : le double de ce qu'ils possèdent déjà...

Le cœur de la question est toutefois le suivant : les humains subissent la loi d'un désir qu'ils ne comprennent pas. Ils ne parviennent pas à admettre que leurs besoins sont profondément malléables. La hausse

---

1. Salsa, Enquête sur les salaires auprès des salariés, Lepremap, 2011.

à venir du revenu les fait toujours rêver, même si, une fois réalisée, cette hausse n'est jamais suffisante. Car les gens comparent leurs perspectives d'avenir à leurs aspirations courantes, sans prendre en compte l'évolution inéluctable de celles-ci[1]. Personne ne peut accepter l'idée qu'il changera sous l'effet des circonstances. L'être que je suis ici et maintenant est le seul juge à qui j'accorde le droit d'apprécier ce qui est bon pour moi. Ainsi s'explique pourquoi la croissance, davantage que la richesse, est importante pour le fonctionnement de nos sociétés : elle donne à chacun l'espoir, éphémère mais toujours renouvelé, de se hisser au-dessus de sa condition psychique et sociale. C'est cette promesse qui apaise l'inquiétude, pas sa réalisation.

Impasse des deux désirs

Les économistes ne peuvent évidemment pas avoir le dernier mot sur la question du désir. Plutôt que de faire une recension des nombreuses philosophies qui ont été proposées en ce domaine, suivons ici deux géants de la pensée, Sigmund Freud et René Girard, totalement opposés sur le fond mais qui se rejoignent dans la recherche d'une théorie unitaire du désir humain. Chacun analyse à sa manière les deux piliers sur lesquels reposent les sociétés modernes : le travail et l'envie.

---

1. Sur « Le biais de projection » pour prédire l'avenir, voir George Lowenstein, Ted O'Donoghue et Matthew Rabin, in *Quarterly Journal of Economics*, novembre 2003.

Freud, dans son célèbre *Malaise dans la civilisation*, faisait un diagnostic a priori similaire à celui d'Easterlin : « Ce qu'on appelle bonheur au sens strict résulte de la satisfaction plutôt soudaine de besoins accumulés et n'est possible, par nature, que comme un phénomène épisodique. On se procure du plaisir en sortant une jambe nue du lit, par une froide nuit d'hiver, pour ensuite l'y entrer... » Et d'ajouter cette note profondément pessimiste : « L'intention humaine d'être heureux ne figure pas dans le plan de la création ! » Pour l'inventeur de la psychanalyse, le tourment des humains n'est pas contingent à une civilisation en particulier, mais propre au processus de civilisation lui-même : « Le progrès dans la civilisation [se paie toujours] d'une perte de bonheur résultant du "sacrifice de l'instinct". »

À suivre Freud, l'individu est confronté dès l'enfance à des pulsions dont la satisfaction lui est interdite. Il développe alors un quantum d'agressivité contre les autorités extérieures, ses parents, qu'il tient pour responsables de ses tourments. Un sentiment de culpabilité en résulte, qui joue un rôle crucial dans le système freudien. L'enfant se protège de son agressivité contre ceux qu'il aime en intégrant en lui ce que Freud appelle le Surmoi. Celui-ci entre en possession de l'agressivité qui aurait dû s'exercer contre les parents. Le paradoxe central est que cette conscience morale se comporte avec d'autant plus de rigueur et de méfiance que l'individu est vertueux ! Comme si elle lui reprochait de manière totalement contradictoire de ne pas assumer ses désirs. « Chaque renoncement accroît la sévérité de la conscience morale », dans une espèce de course-poursuite où le Surmoi réclame toujours davantage de gages.

169

La voie qui s'offre à l'individu est de déplacer les buts de la pulsion de telle sorte qu'ils ne puissent être touchés par les refus du monde extérieur. « La sublimation des pulsions prête là son aide. La satisfaction que l'artiste a à créer, que le chercheur trouve à résoudre les problèmes. Mais la faiblesse de cette méthode tient à ce qu'elle n'est pas universalisable, elle est même à la portée de peu de personnes. » L'amour est un autre candidat. Le problème ici est que « nous ne sommes jamais moins protégés contre la souffrance que quand nous aimons, jamais plus désemparés et malheureux que quand nous avons perdu l'objet aimé ou son amour ». On peut aussi essayer, ajoute également Freud, de « tuer les plaisirs, comme l'enseigne la sagesse orientale et comme le pratique le yoga. Si cela réussit, en vérité, on a du même coup renoncé aussi à toute autre activité. La contrepartie est une indésirable réduction des possibilités de jouissance. La satisfaction d'une pulsion sauvage, non bridée par le Moi, est incomparablement plus intense que quand est satisfaite une pulsion domptée ».

In fine, pour Freud, c'est le travail qui est la solution la plus adaptée. « Aucune autre technique de vie ne lie aussi solidement l'individu à la réalité que l'accent mis sur le travail, qui l'insère sûrement au moins dans une portion de cette réalité, la communauté humaine. » Le principe de plaisir s'est transformé en principe de réalité, plus modeste mais efficace, « car on s'estime déjà heureux d'avoir échappé au malheur ».

Pour Freud, le sentiment de culpabilité se comprend à partir du complexe d'Œdipe. On aime son père et on le hait. En le tuant, les fils ne peuvent plus que l'aimer ! Remords de l'avoir fait (dans les mythes du moins), ou culpabilité de l'avoir (seulement) désiré ? Ce n'est pas très important : la culpabilité est le sentiment de cette ambivalence[1].

René Girard faisait ressortir sa propre contribution en proposant une critique serrée de ce complexe d'Œdipe. À ses yeux, le rapport du fils au père n'a pas toujours été conflictuel, pour la raison simple que le père, ayant longtemps incarné l'autorité absolue, était placé trop haut dans la conscience des enfants pour être une source de rivalité. C'est le conflit entre frères qui mène le monde. « Il n'y a pas de conflit plus fréquent dans les mythes que le conflit fraternel. Caïn et Abel, Jacob et Ésaü,

---

1. Freud a montré dans *Totem et tabou* qu'il prenait au sérieux l'hypothèse d'un meurtre réel du père primitif. Dans son *Moïse et le monothéisme*, il reprend cette idée en arguant que les Hébreux ont en fait tué Moïse dans le Sinaï, ne supportant plus ses comportements tyranniques ! Freud, qui a retardé son exil à Londres alors que les nazis autrichiens le menaçaient, attachait manifestement une importance considérable à ce travail. Il y voyait non pas une métaphore, mais une vérité historique. Il prend le soin de montrer que Moïse était un prince égyptien menant un groupe, une secte, hors d'Égypte, et d'expliquer pourquoi ses disciples, épuisés par ses commandements et ses interdits, l'ont finalement tué. Telle serait l'explication réelle de la scène du Veau d'or, qui explique pourquoi les Juifs conçurent, de génération en génération, une culpabilité extrême, celle, littérale, du meurtre du Père. Freud caractérise ainsi les Juifs comme un peuple pris d'une « ivresse d'ascèse morale » les conduisant à un niveau éthique inconnu dans les sociétés de l'Antiquité. L'Occident serait ainsi passé, par leur entremise, d'une culture de la honte dont on trouve la marque dans le Japon tel qu'il est décrit par Ruth Benedict, à celui de la culpabilité, typiquement occidentale. Le problème avec cette interprétation brillante est que les archéologues en sont venus à mettre sérieusement en doute la réalité de la sortie d'Égypte et donc a fortiori de ce meurtre véritable... (Sur ce dernier point, voir Israël Finkelstein et Neil Asher Silberman, *La Bible dévoilée*, trad. fr. Bayard, 2002.)

Étéocle et Polynice, Romulus et Rémus, Richard Cœur de Lion et Jean sans Terre[1]... » La source du conflit entre les frères provient de ce que Girard appelle la rivalité mimétique. « Dans tous les désirs, explique-t-il, il n'y a pas seulement un sujet et un objet, il y a un terme troisième, le rival. Le sujet désire l'objet non pour ses qualités intrinsèques mais parce que le rival lui-même le désire. Le sujet attend en fait de cet autre, le rival, qu'il lui dise ce qu'il faut désirer ! » C'est le frère, chez Girard, qui se dresse comme le rival par excellence.

En faisant du conflit entre frères la base de la violence, Girard prend à partie l'interprétation freudienne du complexe d'Œdipe. Ce n'est, à ses yeux, qu'avec l'avènement de la modernité que, le statut du père s'abaissant, il se rapproche de celui du frère. « L'âge d'or du complexe d'Œdipe se situe dans un monde où la position du père est affaiblie mais pas complètement perdue, c'est-à-dire dans la famille occidentale au cours des derniers siècles. Le père est alors le premier modèle et le premier obstacle dans un monde où la dissolution des différences commence à se multiplier. »

Girard développe le fonctionnement moderne du conflit avec le père à partir de l'idée de *double bind* qui a été exposée par les théoriciens de la communication[2]. Un *double bind*, c'est un impératif contradictoire, par exemple : « Sois spontané ! » ou encore : « Ne lis pas ce panneau ! » Le père, selon Girard, dit au fils : « Fais comme moi, imite-moi ! » et quand le fils s'exé-

---

1. René Girard, *La Violence et le Sacré*, Grasset, 1972.
2. La notion a été introduite par Gregory Bateson en 1956, et reprise par Paul Watzlawick *et al.*, *Une logique de la communication*, *op. cit.*

cute, le père le lui reproche : il interprète son obéissance comme une agression, comme si le fils voulait prendre sa place ! La structure du *double bind* apparaît ainsi comme la pathologie d'une période de transition au cours de laquelle la loi du père s'affaisse, mais pas complètement... « Le surgissement de la psychanalyse est historiquement déterminé par l'avènement du monde moderne [...] Moins il y a de père et plus l'Œdipe fait des siennes ! » Notons ici que Girard rejoint implicitement la datation proposée par Norbert Elias, d'un passage tardif de l'Occident à l'âge de la culpabilité, par opposition au régime ancestral de la honte[1].

Faut-il choisir entre le père et le frère pour comprendre le désir humain ? Nous nous en garderons bien. Chacun de ces deux versants de l'analyse explore une dimension des besoins qui habitent les individus : le besoin psychique de se sublimer dans son travail, et le besoin social de chercher un modèle en dehors de soi, qui permette de construire son identité. Par leur voie propre, chacun montre pourquoi cette tâche doit être constamment recommencée, que ce soit du fait d'un Surmoi insatiable ou d'une rivalité mimétique par nature inépuisable.

---

1. Tout comme Norbert Elias, René Girard analyse le renoncement à la vengeance personnelle comme l'une des transformations majeures qui s'opère pendant la Renaissance. Dans son commentaire de la pièce de Shakespeare, il analyse l'hésitation « pathologique » de Hamlet face à cette question comme une formidable expression littéraire de ce changement d'attitude. « Shakespeare transforme une histoire typique de vengeance en une méditation sur la difficile situation d'un dramaturge à qui la vengeance donne la nausée », *Shakespeare, les feux de l'envie*, Grasset, 1990.

Le *double bind*

La crise morale et politique que traversent les sociétés occidentales doit beaucoup plus qu'on n'est généralement prêt à l'admettre aux aléas de la croissance. Selon qu'elle est forte ou faible, l'individu est récompensé ou puni des efforts qu'il doit consentir pour s'intégrer au monde, qu'il s'agisse de trouver un travail ou de se mesurer à ses pairs. Quand elle est tonique, la confiance dans la société renaît, et à l'inverse, le pessimisme reprend quand elle est plus basse que prévu.

Analysant ce qu'il appelle « les conséquences morales de la croissance économique », Benjamin Friedman a passé en revue les grandes vagues de la vie politique américaine et européenne, à l'aune du climat économique. Les grandes périodes « progressistes » de la vie américaine sont presque toujours concomitantes d'une croissance forte, qu'il s'agisse de la période progressiste qui va de 1865 à 1880, puis de 1895 à 1919, ou du mouvement civique des années d'après guerre. À l'inverse, les crises économiques provoquent l'essor des mouvements populistes (1880-1895), de la (re)montée du Ku Klux Klan (1920-1929) ou de la révolution conservatrice au cours des années de crise (1973-1993).

En France, les moments réformistes de la IIIe République, les réformes d'après guerre, la révolution culturelle de Mai 68 se produisent tous pendant les phases d'expansion. À l'inverse, le boulangisme, l'Action française, la violence fasciste, Vichy, la montée du Front national accompagnent la crise. En Allemagne, les phases d'expansion des droits civiques et sociaux (l'unité allemande ou les réformes de Willy Brandt) se produisent en période de croissance. La montée du nazisme dans les années trente ou la recrudescence des pulsions anti-immigrés se produisent au cours de sévères phases de récession.

Il existe quelques rares mais importantes exceptions à cette corrélation. Le New Deal de Roosevelt, qui se produit au plus profond de la crise des années trente, ainsi que le Front populaire, qui sera élu alors même que la crise a rattrapé la France, en sont les plus marquantes. Ces exemples montrent que la politique a son rôle. Roosevelt vient sanctionner l'échec de Hoover, et le Front populaire interrompt les mesures d'austérité de Laval. Roosevelt a imposé son New Deal alors même que l'on assistait en Amérique à une recrudescence du racisme et de l'antisémitisme. Le livre de Philip Roth, *Le Complot contre l'Amérique*, fait le récit crédible (mais fictif) d'une campagne victorieuse du héros de l'aviation américaine Lindbergh, porte-drapeau de l'extrême droite (dont faisait partie le père de John Kennedy). Mais la montée du nazisme en Allemagne a en partie douché ceux qui, aux États-Unis, auraient pu s'en inspirer.

L'antifordisme

La formidable espérance des Trente Glorieuses (de 1945 à 1975) illustre elle aussi la puissance des mécanismes que la croissance avait mis en œuvre à l'âge industriel. Il était habituel à l'époque d'indiquer le « retard » d'une classe par rapport à une autre par sa consommation de biens usuels. Ainsi, la télévision, qui fait son apparition au début des années cinquante, où elle n'est possédée que par 1 % de la population, donne-t-elle lieu, vingt ans plus tard, au même taux d'équipement pour les cadres et pour les ouvriers. De même, la proportion de cadres supérieurs équipés en 1959 d'une voiture est la même que celle des ménages d'agriculteurs qui en seront équipés en 1970. De ces comparaisons, on avait pris l'habitude de compter en nombre d'années la distance qui sépare les agriculteurs ou les ouvriers des cadres supérieurs. On disait ainsi que le retard des catégories les plus défavorisées est de quinze ans pour la voiture, de neuf ans pour le réfrigérateur, de sept ans pour la machine à laver. Ainsi s'est accompli le miracle d'une société où chacun pouvait rêver rattraper l'autre, tout en restant à sa place.

Cette période est associée à un terme, le fordisme. Pour motiver ses ouvriers, Henry Ford a eu cette idée géniale et surprenante de multiplier par deux leur salaire, afin de lutter contre l'absentéisme et le désintérêt du travail à la chaîne. Dans ses *Mémoires*, il indiquera n'avoir jamais gagné autant d'argent qu'à partir de ce jour-là. Son geste augure l'âge d'or d'un capitalisme industriel où l'entreprise peut apparaître comme un

177

lieu de production *et* de partage des richesses. C'est ce modèle, qui durera de 1913 à 1973, qui a été balayé à la fin des Trente Glorieuses.

Plusieurs forces puissantes se sont combinées pour transformer le monde productif. L'informatique, tout d'abord, a pris la place de l'électricité comme technologie dominante. Contrairement aux deux précédentes révolutions industrielles, basées sur le charbon puis le pétrole, la révolution numérique n'offre pas une énergie nouvelle (ou une manière de la diffuser), mais une manière de penser autrement le fonctionnement des organisations. En réduisant spectaculairement le coût de communication d'une entreprise avec son environnement, sous-traitants ou donneurs d'ordre, elle rend possible une redéfinition radicale des frontières entre les firmes et leur écosystème. Le rêve des dirigeants devient celui d'entreprises sans usines, et d'usines sans travailleurs. L'externalisation remplace la répétition comme principe d'organisation du travail.

Cette évolution de l'entreprise à l'âge numérique ne s'est pas imposée du simple fait de l'informatique, pas davantage que l'électricité n'avait conduit, de sa seule nécessité, au travail à la chaîne. Les innovations organisationnelles ont en fait commencé avant qu'Internet ne fasse son apparition. Une autre force puissante a joué un rôle déterminant : la révolution financière.

C'est dès les années quatre-vingt que les fonds de pension et autres investisseurs institutionnels reprennent la main sur la gestion des entreprises. Leur premier geste est de transformer les incitations données aux dirigeants d'entreprises. Pour éviter toute collusion entre les intérêts des managers et ceux de leurs employés, ils instituent de nouvelles formes de gouvernance. Les dirigeants sont arrachés au salariat et reçoivent une rémunération indexée sur les performances boursières de l'entreprise. Alors qu'un dirigeant d'une entreprise industrielle à l'ancienne aurait été incapable d'augmenter son salaire s'il n'augmentait pas aussi celui de ses salariés, le nouveau régime d'incitation conduit au résultat exactement inverse. Pour que le revenu des dirigeants augmente, il faut que la Bourse soit haussière et donc que les coûts salariaux soient aussi faibles que possible.

Un troisième facteur essentiel va pousser, dans la deuxième moitié des années quatre-vingt-dix, à la réorganisation de la chaîne de valeur : la mondialisation. En élargissant dans des proportions considérables le terrain de jeu du capitalisme, elle permet de redessiner la division internationale du travail. Les firmes apprennent à sous-traiter aux quatre coins du monde des fonctions aussi diverses que la comptabilité en Inde ou la fabrication des iPhones en Chine. L'externalisation des tâches devient alors un phénomène planétaire.

Au total, c'est la combinaison de ces trois ruptures, numérisation, financiarisation et mondialisation, qui a provoqué une nouvelle « grande transformation » du capitalisme, opposé en tout point, par son esprit et ses méthodes, à celui qui prévalait à l'âge fordiste. L'équilibre, chèrement acquis, d'une société qui assurait une forme de sécurité, rigide mais efficace, a volé en éclats. La fonction protectrice de l'entreprise s'est volatilisée.

L'injonction contradictoire

Suite à la désintégration du modèle fordiste, les entreprises ont inventé un nouveau régime de motivation, le management par le stress. Ces nouvelles techniques de management sont parfaitement résumées par un rapport de l'Anact, l'Agence nationale pour les conditions de travail, cité par Philippe Askenazy dans son ouvrage pionnier, *La Croissance moderne*[1] : « Les pratiques de management par l'excellence (cercle de qualité, groupe d'expression) présentent l'entreprise comme un lieu d'action épanouissant pour le salarié. Les formes de polyvalence observées, qui valorisent l'excellence et la performance individuelle et multiplient les rotations sur les postes les plus exigeants, ont des effets dévastateurs. Frustrations, isolement, concurrence sourde, compétition prédominent. » Le *burn out* est la nouvelle maladie du siècle[2]. Dans le monde d'aujourd'hui, ce ne sont plus les machines qui tombent en panne, ce sont les hommes eux-mêmes.

Une part importante de cette souffrance tient au *double bind* déjà analysé par René Girard. On dit aux salariés : « Sois autonome, prends des initiatives », tout en multipliant les procédures, par logiciels interposés, qui leur interdisent de fait toute autonomie... Le monde du travail subit, à son tour, ce régime hybride d'une société d'autorité qui ne veut pas rendre les

---

1. *La Croissance moderne*, Economica, 2002.
2. Voir David Blanchflower et Andrew Oswald pour une analyse récente : *International Happiness*, NBER 16668, 2011.

armes. Parodiant René Girard, on peut dire ainsi que plus le modèle hiérarchique s'affaiblit, plus il fait des siennes[1] !

Freud disait que l'individu névrosé était à la recherche d'une protection contre les extérieures du monde. Pour le sociologue Alain Erhenberg[2], le mal psychique contemporain n'est plus la névrose mais la dépression, qui survient lorsque les individus sont anxieux de ne pas « être à la hauteur » des exigences du monde.

Le « problème économique » de la dépression est qu'elle ne rend pas productif. De nombreuses études ont montré que les personnes qui en sont atteintes ont du mal à résoudre des problèmes complexes, voire à planifier leurs journées. À l'inverse, les gens qui sont de bonne humeur sont de meilleurs amis, collègues, voisins, de meilleurs citoyens. Car le bonheur pousse à la coopération, à la créativité. Si l'on donne par exemple des cookies au chocolat à un groupe d'enfants et des radis à un autre, les premiers sont beaucoup plus tenaces pour résoudre des problèmes complexes que les seconds. Une étude a estimé à près de 10 % la perte de productivité des gens malheureux[3]. À l'inverse, les entreprises qui sont classées dans les *100 best companies to work for in America* ont un taux de rendement supérieur aux autres, une fois prises en compte leurs caractéristiques propres.

---

1. Sur ce point, lire les analyses de Christophe Dejours, qui distingue ainsi le travail prescrit et le travail réel : *Travail vivant*, 2 vol., Payot, 2009.
2. *La Fatigue d'être soi*, Odile Jacob, 1998.
3. Je reprends ici les développements présentés dans le *World Happiness Report*, 2014.

La satisfaction au travail est un élément essentiel du plaisir de la vie. 60 % des personnes interrogées sur ce qu'elles attendent de leur travail citent la sécurité, mais avoir un emploi intéressant vient tout juste derrière, en second (cité à 50 %), suivi de l'autonomie au travail (30 %). Le salaire lui-même vient en dernier (à 20 %) ! L'effet du chômage n'est pas seulement de perdre un revenu, c'est aussi la perte d'un statut social, d'une estime de soi, d'un lien d'existence avec autrui. À l'inverse, ceux qui déclarent souhaiter réussir financièrement (lorsqu'ils sont jeunes étudiants) enregistrent (vingt ans plus tard) des niveaux de satisfaction plus faibles que les autres !

Être heureux est un phénomène autoréalisateur, contribuant à de meilleures relations sociales, lesquelles sont aussi un élément du bonheur. En plus, la santé des intéressés s'améliore. Ceux qui disposent de *positive feelings* sont ainsi moins souvent victimes de maladies inflammatoires, cardiovasculaires et neuro-endocriniennes. La bonne humeur a une influence directe sur la qualité de l'alimentation et donc sur la santé. Les « nerveux » mangent de la *junk food*, des popcorns plutôt que des fruits. Les gens déprimés ont une probabilité beaucoup plus forte d'être obèses et ils ont une probabilité deux fois plus forte de fumer. Selon certaines estimations, les gens les plus heureux vivent jusqu'à dix ans de plus que les gens malheureux. Une étude littéraire a montré que les auteurs utilisant dans leurs biographies des mots positifs (vivant, vigoureux...) vivaient plus longtemps aussi !

Le bonheur est une école d'ouverture, mais la question est évidemment de savoir comment rendre les gens heureux... Selon certains auteurs, « vouloir être plus heureux est aussi futile que de vouloir grandir ». Les analyses des (vrais ou faux) jumeaux, notamment lorsqu'ils ont été éduqués dans des familles différentes, montrent ainsi qu'au moins 50 % des traits de la personnalité, dont la propension à répondre positivement à la question « êtes-vous heureux ? », viendraient des gènes. Mais même à accepter une part d'héritabilité de la propension au bonheur, cela ne doit pas conduire à prôner la résignation.

Un exemple des malentendus possibles peut être trouvé dans les tests de QI. Les résultats à ces tests apparaissent comme hérités à 75 % ! Pour autant, les résultats ont considérablement évolué au cours du dernier siècle. Le QI est socialement malléable. La taille, le poids, l'espérance de vie sont également des traits dont on hérite dans une large mesure : il n'empêche qu'ils ont tous considérablement évolué au cours du siècle passé, du fait des progrès de la médecine et de l'hygiène (alimentaire notamment). De même, l'expérience du chômage fait baisser le bien-être de manière durable (même après une nouvelle embauche) et le retour à la normale est très long. Les données sociales jouent, ici aussi, un rôle essentiel. Il y a donc une part importante du bonheur qui s'explique par des phénomènes sociaux qu'une société doit aider à résoudre. Et certaines, de fait, y parviennent mieux que d'autres...

Comment peut-on être danois ?

Toutes les sociétés ne vivent pas de la même manière la traversée du monde contemporain. Le Danemark est un pays souvent donné en exemple d'une transition heureuse vers la société postindustrielle. Selon les enquêtes internationales, c'est l'un des pays les plus heureux du monde. Si l'on interroge les Danois sur leur bien-être, sur une échelle de 1 à 10, ils répondent en moyenne qu'ils se situent à 8. Mention très bien ! Les cinq autres pays les plus heureux du monde sont la Finlande, la Norvège, les Pays-Bas, le Canada et... le Costa Rica ! Les six les plus malheureux sont le Togo, le Bénin, la République centrafricaine, la Sierra Leone, le Burundi et les Comores.

L'analyste n'a que l'embarras du choix pour expliquer les écarts entre le haut et le bas de l'échelle de bien-être : les pays les plus heureux disposent d'un revenu qui est quarante fois supérieur à celui des plus malheureux ; l'espérance de vie y est de vingt-huit ans plus longue ; ils ont deux fois plus d'amis en cas d'ennuis, un sentiment de liberté plus élevé (94 % contre 63 %) et sont moins enclins à douter de l'honnêteté de leur gouvernement (33 % contre 85 %).

En notant le bonheur sur une échelle de 1 à 10, le médian planétaire est à 5, en Europe il est à 7, aux États-Unis et en Australie-Nouvelle-Zélande, il est à 8. L'Australie, peuplée à l'origine de forçats issus des bas-fonds de la société anglaise, est capable de forger aujourd'hui une société pacifique et prospère, ce qui devrait suffire à abandonner toute idée d'influence génétique (en moyenne) sur le bien-être. La France est classée vingt-troisième, entre l'Espagne et le Mexique. Elle est mieux placée pourtant que l'Italie, l'Allemagne et le Japon, ce dernier pays étant le plus mal noté des pays riches, à la quarante-quatrième place du classement mondial. À noter aussi que la Chine est mal notée, se situant dans le dernier tiers, entre le Mozambique et le Malawi, malgré une croissance économique exceptionnelle.

Pourquoi le Danemark vient-il en tête ? Pour aller à l'essentiel, c'est l'exemple typique d'une société où les gens font confiance et à eux-mêmes et à leurs institutions[1]. Les trois quarts des Danois pensent que l'on peut faire confiance aux autres. Pas seulement à ses amis ou ses collègues, mais plus généralement aux inconnus dans la rue. Il est sans risque (*safe*) de se promener dans les rues et sans risque de compter sur la bienveillance d'autrui. Le *Reader's Digest* a fait déposer dans un certain nombre de villes des portefeuilles (supposément) égarés et contenant l'adresse de leurs propriétaires. En Norvège et au Danemark, les portefeuilles ont tous été retournés à leur propriétaire avec l'argent intact. Ailleurs, le chiffre est presque toujours inférieur à 50 %.

---

1. Nous suivons le *World Happiness Report,* 2013 et le rapport *Exploring Danish Happiness*, 2014.

Le Danemark est le pays le moins corrompu d'Europe. La démocratie est en elle-même un facteur de bien-être. Qui a vu *Borgen* en comprend les raisons. La série montre la vie sobre d'une femme Premier ministre, qui doit interrompre une réunion de cabinet pour aller chercher son fils à l'école, qui n'ignore rien du jeu politique et de son lot d'astuce, de tromperie, mais qui se tient sur le fil d'un exercice raisonnable du pouvoir, sans naïveté et (presque) sans cynisme[1].

La société danoise est dynamique, les associations fleurissent, le volontariat est élevé. En moyenne, en Europe, 60 % des personnes interrogées rencontrent, en dehors de leur travail, des amis, des membres de leur famille ou collègues, au moins une fois par semaine. Au Danemark, la moyenne correspondante est de 80 %. Deux millions de Danois participent à des associations bénévoles, clubs de foot ou cours d'alphabétisation. Selon une plaisanterie locale, quand trois Danois se rencontrent, ils forment un club. Il en existe cent mille aujourd'hui. Le travail caritatif serait l'équivalent de 10 % du PIB, s'il était évalué au coût d'opportunité du travail fourni.

Dans les autres pays, les inégalités concernant l'accès à la santé, à l'éducation et au logement sont des vecteurs de souffrance et d'anxiété qui expliquent une part considérable des écarts de bien-être. À l'inverse, la certitude d'être soigné lorsqu'on est malade, ou pris en charge lorsqu'on perd son emploi, est un facteur

---

1. Les Danois ne sont pas, pour autant, des saints. Comme les autres pays scandinaves ou les Pays-Bas, leur tradition de tolérance n'a pas empêché l'émergence d'une extrême-droite xénophobe.

rassurant. Telle serait la clé qui explique par exemple les différences entre le Danemark et les États-Unis[1]. Le travail au Danemark est également une source de satisfaction. Le pays vient en tête du classement *Job Quality in Europe*. Les Danois sont heureux au travail, en général, parce que la confiance (le *Trust*) aide à une délégation généreuse des tâches. L'autonomie des travailleurs y est plus forte qu'ailleurs. Ils travaillent mille cinq cent vingt-deux heures par an, à comparer à une moyenne de mille sept cent soixante-seize heures dans l'OCDE. L'autonomie des employés leur permet de continuer leur travail chez eux quand c'est nécessaire : 17 % le font. Une très faible proportion de Danois a ressenti de la colère ou du stress (13 % et 21 %) au travail. Les distances étant courtes, le temps passé en transports pour aller travailler l'est aussi. Ce facteur est l'une des causes du mal-être dans nombre d'autres pays. Une enquête sur le bien-être des femmes au Texas le met en tête des facteurs négatifs…

La *flexisécurité danoise* permet, de surcroît, de protéger le travailleur contre le risque de chômage. Cette politique articule trois dimensions : une faible protection de l'emploi, une indemnisation du chômage très généreuse (jusqu'à quatre ans) et une politique active de réinsertion. Le modèle danois est original, y compris par rapport à la Suède où la protection de l'emploi est plus forte. Les Danois sont syndicalisés à 88 %, ce qui garantit contre les facilités que la flexibilité pourrait accorder aux employeurs. La formation initiale étant très élevée,

---

1. Selon une étude de Ed Diener *et al.*, citée par le *World Happiness Report*, 2013.

la formation professionnelle y est plus efficace aussi. Tout est fait pour garantir un retour à l'emploi et faire que la période de transition soit utile au travailleur en lui proposant une formation adaptée.

Le modèle danois éclaire une question essentielle concernant les causes du chômage et sa relation à la croissance. Celle-ci est en général une bonne chose pour le quantum d'emplois créés. La raison est simple à comprendre : quand la croissance est forte, l'embauche est plus rentable dans la mesure où les firmes sont en moyenne assurées de trouver des débouchés en augmentation pour leur production. Une société à croissance ralentie, à l'inverse, tend à allonger le retour à l'emploi. Le temps d'attente avant de retrouver un emploi peut être multiplié par deux en cas de crise, doublant aussi le taux de chômage[1]. C'est évidemment ennuyeux pour le chômeur lui-même et pour les finances publiques. Mais, bien gérée, cette période de transition peut devenir une opportunité. Face aux aléas constants de l'emploi, elle peut aider à ressourcer le travailleur, au lieu de le démoraliser. C'est sur ce terrain que le modèle danois est devenu une référence.

---

1. Les analyses modernes du marché de l'emploi raisonnent en termes de flux plutôt qu'en stock. Le problème est en effet moins de savoir quel est le stock de chômeurs que de savoir quel est le temps de retour à l'emploi de chacun d'entre eux. Le modèle dit DMP, de Peter Diamond, Dale Mortensen et Chris Pissarides, tous trois récompensés par le prix Nobel d'économie en 2010, est devenu canonique en ce domaine.

La France au miroir danois

La France est à tous égards à l'opposé du Danemark. Les Français sont systématiquement plus pessimistes que les autres peuples quand il s'agit de faire confiance à la justice, aux partis politiques, aux syndicats, bref : à autrui... À la question « est-il possible de faire confiance aux autres ? », 80 % des Français estiment qu'« on n'est jamais assez méfiant », selon le World Value Survey. Le livre *La Société de défiance : comment le modèle français s'autodétruit*[1], de Yann Algan et Pierre Cahuc, a brillamment ouvert ce débat. Il existe, dans les enquêtes utilisées par les auteurs, une forte corrélation entre le niveau d'anxiété ressentie par les habitants d'un pays et l'absence de confiance en autrui. Selon Algan et Cahuc, « le coût psychologique d'être traité injustement ou trahi dans une relation de confiance est au moins aussi important que le coût monétaire ». C'est ce facteur, la défiance, qui est, selon eux, à la source du malaise français.

Ulrich Beck a parfaitement éclairé, dans son livre *La Société du risque*, publié en 1999, la différence fondamentale entre le risque préindustriel et celui des sociétés modernes. Hier, les mauvaises récoltes, les morts prématurées constituaient des risques contre lesquels on ne pouvait rien. Les dieux, la fortune, le destin étaient les seules forces qu'on pouvait invoquer. Aujourd'hui, des risques tout aussi menaçants nous obsèdent. Mais nous savons qu'ils sont fabriqués par les hommes. Perdre son emploi, subir le risque d'une guerre nucléaire pendant

---

1. Cepremap, Éditions Rue d'Ulm, 2007.

la Guerre froide, ou aujourd'hui celui du réchauffement climatique ou du terrorisme. Pour Ulrich Beck, ce changement de perspective bouleverse la signification que nous donnons aux (grands) accidents de la vie. Perdre son emploi n'est pas comme subir une mauvaise récolte, même si, en termes économiques, les conséquences sont absolument identiques[1].

Les Français forment l'un des peuples les plus pessimistes en matière de coopération sociale. Beaucoup plus souvent que dans les autres pays, ils pensent que l'égoïsme gouverne les relations interpersonnelles. Les deux tiers des Français estiment ainsi que « chacun doit s'occuper de ses affaires sans trop s'intéresser à ce que disent ou font les autres ». La France se situe, en matière de confiance à autrui, tout en bas de l'échelle internationale, à égalité avec les pays de l'ex-Europe de l'Est !

Les Français ont également une faible confiance dans leurs institutions. Ils se méfient à la fois du marché et des syndicats, demandant une intervention de l'État, laquelle maintient les Français dans la double méfiance initiale… Mais cela ne signifie nullement qu'ils fassent confiance à l'autorité publique ! En France, « la centralisation hiérarchique des décisions par l'État vide

---

1. Freud proposait une idée de même nature : « La souffrance menace de trois côtés : de notre propre corps, destiné à la déchéance et à la décomposition, et qui même ne saurait se passer de la douleur et de l'angoisse comme signaux d'alarme ; du monde extérieur, capable de se déchaîner contre nous avec des forces énormes, implacables et destructrices ; et enfin des relations avec d'autres êtres humains. Celle-ci est la plus douloureuse, car nous y voyons un surcroît sans nécessité. »

le dialogue social » de tout contenu[1]. Les Danois, qui accordent une confiance plus grande à leurs institutions, peuvent aller beaucoup plus loin dans le bon usage de celles-ci.

Partout dans le monde, un revenu élevé par rapport au reste de la population rend les gens plus heureux (se comparer favorablement aux autres est une source de satisfaction). Cela est toutefois moins vrai en France qu'ailleurs... Les individus exerçant les professions les plus élevées (cadres dirigeants, cadres supérieurs) se déclarent moins heureux en France que leurs homologues dans d'autres pays. Le faible degré de réciprocité des employés à l'égard de leurs entreprises est un autre symptôme du malaise au travail. Selon une analyse proposée par Andrew Clark, seuls 25 % des Français sont d'accord ou tout à fait d'accord pour travailler davantage afin d'aider leur entreprise. C'est le plus mauvais score pour un pays avancé. Le mieux classé est les États-Unis, à 79 % de réponses positives. Le Danemark est à 66 %.

La construction de la psyché française

Il est tentant de trouver une trace indélébile de la culture française dans ce pessimisme. On peut (classi-

---

1. Yann Algan et Pierre Cahuc concluent ainsi leur analyse : « Pour favoriser la confiance mutuelle et le civisme, il est donc indispensable de rompre avec la logique corporatiste de notre État-providence et de s'orienter vers une logique universaliste, donnant les mêmes avantages pour tous. »

quement) rappeler tout d'abord que la France hérite d'une structure hiérarchique forte, celle de l'État, dont l'effet est de décourager les interactions horizontales. Philippe d'Iribarne avait quant à lui analysé la psychologie française en expliquant que la France n'était en fait jamais parvenue à réconcilier deux cultures contradictoires : les valeurs ecclésiastiques d'un côté, et aristocratiques de l'autre. Les premières prônent l'égalité, les secondes le contraire. Pour s'en sortir, selon Iribarne, les Français n'ont eu d'autre recours que l'hypocrisie, feignant de croire qu'à l'église tous les hommes sont de même rang, tout en les installant dans des rangées bien distinctes qui n'abusent personne.

La force des travaux d'Algan et Cahuc est de montrer toutefois que le pessimisme français est beaucoup plus récent que ne le suggèrent ces analyses au long cours (qui restent évidemment pertinentes par ailleurs). L'originalité de leur étude est d'analyser l'évolution de la mentalité française à partir d'un miroir neutre, la mentalité des Américains d'origine européenne, en fonction de la date où l'immigration de la première génération a eu lieu[1]. Les résultats de cette enquête sont les suivants. Les Américains

---

1. De nombreuses enquêtes ont montré que l'origine géographique des migrants a un pouvoir d'explication significatif (quoique déclinant avec le temps) des réponses de leurs descendants aux questions de valeurs. Les enfants d'immigrés gardent un capital de confiance proche de celui des enfants de ceux qui sont restés au pays. La méthode d'Algan et Cahuc permet de neutraliser les facteurs qui résultent de la situation spécifique du pays à un moment donné. Toutes les personnes dont ils scrutent les réponses vivent aux États-Unis et sont donc soumises aux mêmes aléas conjoncturels.

dont les aïeuls sont des immigrés d'origine française arrivés aux États-Unis avant 1935 témoignent d'un taux de « confiance » plus élevé que les descendants de Suédois venus en Amérique à la même époque. Cette hiérarchie est inversée après 1935. À partir de cette date, le moral des migrants venus de France est toujours inférieur à celui de leurs contemporains venus de Suède.

Reprenant les théories d'Henry Rousso, Yann Algan et Pierre Cahuc imputent au « syndrome de Vichy » l'un des facteurs qui ont brisé la confiance des Français. La langue française garde la trace de cette cicatrice. Le mot « collaboration » est banni du vocabulaire. Après guerre, le gaullisme expliquant que la France avait gagné la guerre a réveillé la culture du déni, ce tropisme français analysé par Iribarne. La fin des colonisations indochinoise puis algérienne, guerres sur lesquelles la France comptait inconsciemment pour retrouver confiance en sa grandeur passée, a porté le coup de grâce.

Mai 68 apparaît comme un moment paradoxal. La jeunesse française touche à la statue du commandeur en limogeant le général de Gaulle et ouvre la voie à une libération possible de la psyché française. Mais la crise des années soixante-dix a changé la donne, foudroyant la France comme sous l'effet d'une revanche des dieux.

L'endogamie sociale

Les Français sont réputés avoir la passion de l'égalité mais, avec le recul, ils étaient plus à leur aise dans le cadre autoritaire des usines d'hier que dans le monde délié de la société postindustrielle. La France bute sur cette question fondamentale : sur quels principes peut s'organiser une société qui reste profondément inégalitaire alors que son idéal démocratique la pousse à l'égalité ? Elle obsédait déjà Tocqueville, lequel s'interrogeait à sa manière sur le passage d'une société hiérarchique à une société d'égalité. « Quand toutes les prérogatives de naissance et de fortune sont détruites, que toutes les professions sont ouvertes à tous, et qu'on peut parvenir de soi-même au sommet de chacune d'entre elles, une carrière immense et aisée semble s'ouvrir devant l'ambition des hommes, et ils se figurent volontiers qu'ils sont appelés à de grandes destinées. Mais c'est là une vue erronée que l'expérience corrige tous les jours. [...] Ils ont détruit les privilèges gênants de quelques-uns de leurs semblables, ils rencontrent la concurrence de tous[1]. »

---

1. *De la démocratie en Amérique*, t. II.

Pour Tocqueville, l'idéal démocratique enflamme le désir de se mesurer aux autres : aucune comparaison n'est indue, tous les hommes peuvent espérer monter au sommet. À ses yeux, l'égalité, valeur morale noble, étendard des sociétés démocratiques, débouche sur des caractéristiques contraires : la concurrence et l'envie. La société industrielle avait résolu ce problème en fabriquant la promesse d'une société d'égalité grâce à l'accès aux biens matériels, tout en maintenant une organisation hiérarchique de la production qui laissait chacun à sa place. La caractéristique nouvelle de celle qui lui succède est de perdre progressivement l'élément médiateur qu'est la marchandise pour ne plus devenir qu'une société de communication. Les biens rares, désirables, sont ceux que le progrès technique ne peut pas offrir : les relations sociales, les appartements les mieux placés, les meilleures écoles pour les enfants, des lieux de villégiature agréables...

Créer une société qui garde confiance en elle-même devient beaucoup plus compliqué qu'à l'époque où il suffisait de promettre à chacun un réfrigérateur et une télévision. La question clé devient alors la suivante : comment se fait la médiation sociale, lorsque l'usine et la consommation de masse ne jouent plus ce rôle ? L'une des réponses qui s'est imposée est celle de l'*endogamie sociale*. En limitant de plus en plus le cercle de la socialité à ceux qui viennent du même milieu, on évite d'affronter la question de l'inégalité, en restant entre soi, entre égaux.

La théorie de Gary Becker sur le mariage permet de saisir la logique qui est en jeu. Becker, en bon théoricien libéral, analyse la manière dont s'organise la recherche d'un partenaire pour former un couple. La logique qu'il décrit est celle où, disons, les mentions très bien au baccalauréat se marient entre eux, puis les mentions bien, et ainsi de suite, jusqu'aux mentions passable, et enfin ceux qui n'ont pas le bac. Les mieux dotés restant entre eux, les autres n'ont en réalité pas le choix. Ce n'est pas par amour de soi, mais par défaut, qu'ils se tournent vers le seul marché qu'il leur reste : celui des gens qui leur ressemblent. La sécession des plus riches, des mieux dotés, se répercute sur l'ensemble de la société[1]. Tout en bas de l'échelle sociale, les bannis n'ont d'autre choix que celui de rester entre eux. Chaque niveau peut certes toujours puiser au-dessous s'il ne trouve pas de rencontre appropriée, mais par défaut. Ceux qui ne le peuvent pas sont tout en bas, où se remplissent les contingents des laissés-pour-compte.

Alvin Roth, spécialiste des modèles d'appariement (les *matching models*), rappelle que le modèle de marché repose sur l'idée qu'il existe un prix pour une marchandise (indéfiniment) reproductible. Mais ce modèle, ajoute-t-il, est l'exception plutôt que la règle, du moins pour les décisions importantes. Qu'il s'agisse du mariage, du logement, de l'école de ses enfants ou de l'emploi, le coût des irréversibilités est considérable. On fait un ou deux choix, rarement beaucoup plus, qui engagent toute la vie. Ce qui compte dans l'ensemble de ces cas est : avec qui je me marie, avec

---

1. Dans une étude sur la ségrégation géographique et sociale sur l'ensemble de la société française, Edmond Préteceille confirme bien que la ségrégation urbaine est surtout le fait des classes supérieures. Voir « Les registres de l'inégalité, lieu de résidence et ségrégation sociale. La société française et ses fractures », Paris, *Cahiers français*, n° 314, avril-juin 2003, p. 64-70.

qui j'habite, avec qui mes enfants seront scolarisés. Bref, la question centrale est celle de savoir avec qui je vais vivre[1]. L'endogamie a toujours été un élément structurant des sociétés hiérarchiques, où chacun reste à sa place de père en fils. Mais le fait qu'elle continue de progresser, qu'elle devienne de plus en plus manifeste, fait voler en éclats l'illusion que porte en elle la société démocratique, et est particulièrement douloureux pour un pays comme la France.

L'ascenseur (antisocial)

Dans ce monde qui tend à se segmenter toujours davantage, les technologies de l'information et de la communication tendent un piège. Elles prétendent améliorer les appariements, créer un monde plat, libre d'accès, où chacun peut communiquer librement avec un autre, sans distinction ou discrimination. La baisse du coût de la communication conduit en réalité à créer des sous-mondes qui ne communiquent plus entre eux... Les économistes spécialistes de géographie économique avaient déjà fait cette observation : la réduction des coûts de transport n'a pas créé un monde lisse. Elle redéfinit une géographie nouvelle qui est tout sauf égalitaire. Un exemple trivial, celui de l'ascenseur, montre ce qui est en jeu. Avant son invention, les riches habitaient au deuxième étage, les

---

1. Roth a reçu le prix Nobel d'économie 2012 pour ses travaux sur ce qu'il appelle lui-même des transactions « répugnantes », comme le don d'organes, de reins...

pauvres au dernier. Riches et pauvres se croisaient dans l'escalier, et même s'ils ne se parlaient pas, leurs enfants fréquentaient parfois les mêmes écoles. Depuis que l'ascenseur s'est généralisé, les immeubles sont fréquentés par des riches ou par des pauvres. Mais plus jamais par les deux à la fois. Riches et pauvres vivent dans des quartiers distincts. La ville cesse d'être un lieu de mixité sociale.

De même, avec le RER, les banlieues tendent à s'éloigner toujours davantage des quartiers chics. Hier, les faubourgs ouvriers n'étaient jamais très loin des centres-villes. Il fallait que les ouvriers puissent se rendre à pied à leur lieu de travail. Avec le RER, la distance peut s'accroître. Jamais Paris, quelle que soit sa démographie à venir, ne viendra toucher Sarcelles. Les habitants des banlieues viennent le samedi soir en ville faire le plein d'images, et rentrent chez eux. Les cités « difficiles », dont chaque nouveau ministre de la Ville dresse la liste, ne sont que la pointe visible d'un processus beaucoup plus vaste, où chaque groupe social voit s'éloigner la couche supérieure à laquelle il était autrefois adjacent.

Partout une série d'univers clos se forment, qui ne communiquent plus entre eux[1]. Aux États-Unis, Jacques Donzelot a montré comment des communautés très fermées se mettent en place, où les riches se replient sur eux-mêmes, construisant leurs propres ghettos. En France, Éric Maurin a analysé aussi avec précision le

---

1. L'endogamie sur Internet prend également une forme intellectuelle : chacun cherche et trouve, tant l'information y est vaste, les informations qui tendent à confirmer ce qu'il pensait déjà. Les psychologues ont parlé de « biais de confirmation ».

regroupement endogame des classes sociales[1]. Il définit les ménages aisés comme étant le groupe des 10 % les plus riches (autour de 3 500 euros mensuels net), et considère leur présence sur les quatre mille voisinages définis par l'Insee pour quadriller la géographie de la France. Le résultat obtenu par Maurin est spectaculaire : la moitié des Français ne rencontre jamais dans son voisinage un ménage aisé ainsi défini ! C'est le double de ce qui s'observerait si la distribution se faisait au hasard. La répartition des hauts diplômes est encore plus inégalitaire[2].

Hier encore, ouvriers, contremaîtres, ingénieurs et patrons étaient liés par des rapports conflictuels, mais qui permettaient à chacun de prendre la mesure de son appartenance à un monde industriel partagé. Aujourd'hui, les ingénieurs sont dans des bureaux d'études. Les emplois d'entretien sont dans des sociétés de services, et les emplois industriels sont sous-traités, robotisés ou délocalisés. Les usines deviennent des lieux vides : les emplois sont ailleurs, les gens ne s'y rencontrent plus.

Analysant le marché du travail américain, Richard Freeman et ses coauteurs ont étudié la logique d'apparie-

---

1. Jacques Donzelot, *Faire société : la politique de la ville aux États-Unis et en France*, Le Seuil, 2003, et Éric Maurin, *Le Ghetto français*, Paris, Seuil, coll. « La République des idées », 2005.

2. Les inégalités résidentielles se transforment en inégalités durables : l'accès aux biens publics, notamment à l'éducation, se segmente. Sandra Black, étudiant l'effet sur le prix d'un logement de la carte scolaire américaine, conclut : « Au total, il est à peu près aussi coûteux de venir se loger près des écoles primaires publiques les plus performantes que de scolariser son enfant dans les meilleures écoles privées. »

ment qui est mise en œuvre dans le domaine productif. Selon cette étude, la quasi-totalité des inégalités observées aux États-Unis s'explique par les inégalités de rémuné ration (moyenne) des établissements où travaillent les personnes[1] ! Elle montre ainsi que 15 % (seulement) des inégalités américaines s'expliquent par des « différences observables », d'âge, de genre ou de diplôme. L'essentiel des inégalités se loge dans la « part cachée » des différences entre travailleurs. La quasi-totalité de celle-ci tient à l'entreprise où ils travaillent ! Qui est employé chez Walmart gagne moins, à compétences égales, que celui qui travaille chez Cartier. En théorie, ce n'est pas possible : chacun doit être payé à son mérite propre, à charge éventuellement pour les employeurs de débaucher les employés que leurs rivaux ont recrutés à moindre coût. Mais cela ne fonctionne pas ainsi. La trajectoire d'un travailleur devient vite un destin, où les stigmates de la carrière sont irrémédiables, même aux États-Unis qui se croient affranchis des préjugés. La conclusion désabusée de Freeman (qu'il dit avoir partagée avec Gary Becker avant le décès de celui-ci) est que les forces du marché, censées payer chacun à son mérite, s'avèrent bien peu puissantes vis-à-vis de celles qui sont produites par la logique des appariements.

---

1. Richard Freeman, Erling Barth, Alex Bryson et James Davis, « It is where you work : increases in earnings dispersion across establishments and individuals in the US », NBER, n° 20447, 2014.

Le bouc émissaire

Si rester entre soi, entre semblables, est la manière de vivre des sociétés postmodernes, elle devrait au moins avoir ce mérite d'alléger le poids de la rivalité, de la comparaison à autrui. La société devrait être apaisée si « l'effet voisinage », qui est au cœur des explications données du paradoxe d'Easterlin, venait à se réduire. Ce n'est pas si simple... L'endogamie sociale prépare un autre drame. Dans un monde où ne peuvent s'assembler que ceux qui se ressemblent, par exclusion des autres possibilités, la ressemblance devient une malédiction. Elle devient une prison, provoquant une claustrophobie sociale chez ceux qui en sont les victimes.

René Girard avait analysé ce qu'il appelait les crises d'« indifférenciation ». « Il n'est pas de culture à l'intérieur de laquelle chacun ne se sente "différent" des autres, expliquait-il, et ne pense les "différences" comme légitimes et nécessaires. [...] Dans une société qui n'est pas en crise, l'impression de différence résulte à la fois de la diversité du réel et d'un système d'échanges et de réciprocité que forcément il comporte... En s'indifférenciant, c'est le culturel, en quelque sorte, qui s'éclipse[1]. » Il ne faut pas s'étonner, ajoutait-il, que les jumeaux aient longtemps fait peur dans les sociétés primitives : ils évoquent et paraissent annoncer le péril majeur, la violence indifférenciée.

Pour lui échapper, la société se tourne vers ceux dont la différence saute aux yeux, pour comprendre ce qu'elle

---

1. René Girard, *Le Bouc émissaire*, Grasset, 1982.

est en désignant ce qu'elle ne veut pas être. C'est le mécanisme du bouc émissaire. « Le désir de violence porte sur les proches, mais il ne peut pas s'assouvir sur eux sans entraîner toutes sortes de conflits. Il faut donc le détourner vers la victime sacrificielle, la seule qu'on puisse frapper sans danger, car il n'y aura personne pour épouser sa cause. » Si désirer le même objet conduit à la haine, haïr en commun permet de s'aimer ! La victime émissaire restaure la paix. Ainsi peut s'expliquer pourquoi, par cet étrange détour, le racisme et la xénophobie rejaillissent au cœur des sociétés postindustrielles que l'on croyait vouées à la tolérance et à l'épanouissement de soi...

Au-delà de la croissance

Le rôle principal de la religion est de réduire la violence des sociétés, en fixant des rituels, des sacrifices qui détournent les hommes vers des « trompe-violence » de substitution. « La religion, écrit ainsi René Girard, n'a qu'un seul but et c'est d'empêcher la violence réciproque. » Pour Freud, « la religion vient résoudre une angoisse de l'être humain, en lui permettant de vivre dans l'illusion qu'un père tout-puissant existe en vue de le protéger ». Il n'est pas nécessaire de choisir ici son camp pour voir que la croissance économique est bel et bien la religion du monde moderne. Elle apaise la rivalité sociale en promettant à chacun de s'insérer dans une société protectrice. Et sa disparition pendant les périodes de crise fait renaître la violence dont les minorités sont souvent les victimes émissaires. Les Juifs de l'Allemagne de Weimar, les Chinois dans l'Indonésie des années soixante-dix, les Noirs américains au lendemain de la Première Guerre mondiale sont les exemples du retour de haine que produisent les crises économiques.

Dans un texte intitulé « Le capitalisme comme religion », Walter Benjamin pousse très loin l'analogie entre les deux termes. Il note trois caractéristiques de la structure religieuse qui s'appliquent à la croissance. D'abord elle fonctionne comme un culte : on écarte comme non pertinente toute considération qui ne s'y rapporte pas. La seconde considération est que la croissance est « sans trêve et sans merci » : il faut aller au bout de la logique qu'elle propose. Troisièmement, c'est un culte qui dénonce ses contradicteurs comme hérétiques : maudit soit celui qui ne participe pas à l'immense effort créatif de richesse !

Georges Bataille ajoute à ces réflexions des remarques précieuses, qui permettent d'éclairer les mécanismes plus spécifiquement à l'œuvre dans la société postindustrielle. Il écrit que la religion « répondit au désir que l'homme eut toujours de se trouver lui-même, de retrouver une intimité toujours égarée. Le quiproquo de toute religion est toutefois de ne rendre à l'homme qu'une réponse contradictoire : une forme extérieure d'intimité. Jamais l'intimité n'est dégagée d'éléments extérieurs sans lesquels elle ne pourrait être signifiée ».

Le monde moderne et sa religion du progrès matériel parviennent au même malentendu. Sous leur empire, « l'homme ne saisira que des choses, et prendra l'ombre qu'elles sont pour la proie qu'il chassait[1] ». Pour Bataille, il s'agit d'en arriver au moment où « la croissance cessera d'être conscience de quelque chose, pour ne se résoudre qu'en conscience de soi, c'est-à-dire en une croissance qui n'a plus rien pour objet. C'est le passage difficile. La conscience en effet s'y oppose en ce

---

1. Il ajoute : « L'homme, eût-il perdu le monde en quittant l'animalité, n'en est pas moins devenu cette conscience de l'avoir perdue. »

sens qu'elle cherche à saisir quelque objet d'acquisition, quelque chose, et non le rien de la pure dépense ».

La société postindustrielle correspond à cette attente exprimée par Bataille d'une croissance sans objet (matériel). Privée de l'élément médiateur que pouvaient constituer les marchandises, elle atteint ce point où elle n'a d'autre aliment que la consommation de relations sociales... L'économie numérique n'a ainsi pas d'objet propre. C'est le point que soulignait Robert Gordon, lorsqu'il mettait en exergue l'absence d'une nouvelle société de consommation. Mais la question n'est pas ici celle du quantum de croissance, mais de son contenu. Ce qui coûte cher n'est plus le téléviseur ou la machine à laver, mais le logement que l'on habite, les vacances, le bon médecin ou enseignant, toutes choses qui dépendent dans une très large mesure de l'espace social auquel on a accès[1]. La croissance industrielle conçue comme la production indéfinie d'objets n'a certes pas disparu, il suffit de mesurer la hausse permanente des déchets que la société postindustrielle continue de générer. Mais elle

---

1. Larry Summers a donné quelques exemples d'évolution des prix, qui illustrent ce que procure la croissance économique. Aux États-Unis, le niveau général des prix a doublé au cours des trente dernières années. Ce qui s'achetait 100 dollars en moyenne coûte 200 aujourd'hui, du fait de l'inflation. Mais cette moyenne est rien moins qu'uniforme : le prix des téléviseurs a ainsi été divisé par vingt tandis que celui des services médicaux a été multiplié par quatre et celui des droits d'inscription universitaires par sept. En d'autres termes, le pouvoir d'achat des ouvriers a été multiplié par dix lorsqu'il est rapporté au prix des téléviseurs et a été divisé par deux en termes de services médicaux. Plus généralement, la raison pour laquelle le pouvoir d'achat des ouvriers américains a stagné, en moyenne, tient à la hausse du coût de l'énergie, de la rente foncière, de l'éducation et de la santé.

est davantage l'écho d'un monde en voie de disparition que la promesse d'un avenir radieux.

Les gens travaillent désormais pour garantir, à eux-mêmes et à leurs enfants, une socialisation qui soit la meilleure possible à leurs yeux. L'endogamie est plus qu'une pathologie : elle est le mode d'existence d'une société qui consomme de la relation sociale davantage que de la marchandise au sens habituel du terme, qui recouvre un objet matériel.

Une voie

Il faut pourtant donner une chance à la société post-industrielle. Les idéaux que Inglehart croit observer dans ses enquêtes marquent moins une réalité qu'une aspiration à une société d'autonomie, créative, tolérante... La montée aux extrêmes que porte en germe cette nouvelle phase du capitalisme n'est pas inéluctable. Un cercle vertueux est encore possible, qui prenne le contre-pied de la descente aux enfers que décrit le mécanisme du bouc émissaire. Il est possible d'éteindre la logique haineuse de l'envie en revenant à l'embranchement qui mène à l'autre voie, celle de la tolérance et du respect d'autrui, condition nécessaire (mais non pas suffisante...) pour affronter aussi le risque climatique.

L'un des principaux facteurs d'apaisement du monde postindustriel consiste d'abord à *s'immuniser* contre les aléas de la croissance. Plutôt que la méthode Coué qui consiste à constamment parier sur une croissance haute, il vaut mieux admettre que le devenir de la croissance à long terme est impossible à prévoir, même à l'échelle d'une décennie, et agir de manière à protéger la société de ses vicissitudes[1] ! Il faut pour ce faire construire un nouvel État-providence qui permette d'échapper à la terreur du chômage et aller vers un monde où perdre son emploi devienne un non-événement ! L'idée de Droits de tirage sociaux, les DTS, prônés par le juriste Alain Supiot, offre ici une voie. En autorisant à « tirer » dans une vaste gamme de droits qui incluraient celui de se former, de prendre une année sabbatique, de tenter une expérience professionnelle nouvelle, on permettrait à chacun de traverser sans peur l'épreuve du non-emploi, à l'exemple du modèle danois. Les DTS donneraient aux individus les moyens de résister aux pressions psychiques et sociales qu'ils subissent, en leur donnant des instruments pour rester les acteurs de leur autonomie.

Il y a aussi un « empire du management », pour reprendre la formule de Pierre Legendre, qui doit être révolutionné. Rien n'oblige, même dans une société à l'arrêt en termes de croissance globale, de motiver les salariés par la peur. On peut leur offrir des carrières qui gagnent en responsabilité, en autonomie, en liberté d'agir[2]. Le management par le stress est, de surcroît,

---

1. Personne en 1965 n'aurait parié que dix ans plus tard les Trente Glorieuses seraient terminées, et même en 1975, le déni d'une croissance perdue durera pendant plus de dix ans. Personne en 1985 n'aurait parié sur le rebond chinois ou celui de l'Inde, et a fortiori sur l'avènement d'Internet. Et personne en 2005 ne comprenait qu'on était au bord de la plus grande crise financière depuis les années trente. S'il est une leçon, bien documentée, de la littérature économique, c'est que les décennies se suivent et ne se ressemblent pas, et qu'il est pratiquement impossible d'extrapoler une décennie en une autre…

2. Pierre Legendre, *Ce que l'Occident ne voit pas de l'Occident, op. cit*

totalement contre-productif. Les enquêtes rassemblées par le *World Happiness Report* ont montré que les gens heureux ont plus de facilités pour atteindre des équilibres coopératifs, avec leurs collègues ou leurs correspondants[1]. Les gens heureux manifestent également une plus grande facilité à se projeter dans le futur, à analyser des informations complexes et à faire preuve d'un plus grand *self-control*. La curiosité ainsi que la flexibilité cognitive sont également la conséquence d'un environnement de bien-être.

Il faut ensuite tordre le cou à une idée constamment répétée selon laquelle il faudrait de la croissance pour financer les dépenses publiques. On paie les médecins et les enseignants pour un service : en quoi est-ce différent d'aller au restaurant ou d'acheter une voiture ? Leurs services font partie de la richesse produite, ils ne sont pas « prélevés » sur celle-ci. Quand on cotise pour l'assurance maladie, le seul « inconvénient » du système est que son usage est différé dans le temps, alors qu'on achète une voiture pour la consommer immédiatement. Mais c'est en réalité un problème psychologique ou politique, pas un problème économique[2].

---

1. Le dilemme du prisonnier, qui permet de mesurer la capacité coopérative des personnes, a été testé sur des gens de bonne ou de mauvaise humeur. Le résultat est qu'un équilibre coopératif significativement plus fréquent est atteint chez les gens de bonne humeur.

2. Imaginons un monde où le seul secteur qui demeure soit la santé, et le seul travail celui des personnels de santé. Les malades paient les médecins avec des coupons, grâce auxquels les médecins sont soignés quand ils sont à leur tour malades. Les coupons, ce sont les cotisations sociales. Pas besoin d'autres secteurs en croissance pour que ce système fonctionne.

La question de l'équilibre des régimes de retraites illustre ainsi, notamment en France, les malentendus concernant le besoin de croissance. Les simulations sur leur viabilité montrent qu'il faut un rythme de croissance élevé pour que les retraites soient à l'équilibre. Mais c'est le résultat d'un système qui fonctionne à l'absurde. Si la croissance est forte, les retraites coûtent moins cher en pourcentage du PIB parce que le revenu des retraités baisse par rapport à celui des actifs, alors que c'est le contraire lorsque la croissance est faible : les retraites seraient plus généreuses quand la croissance est forte, et chiches quand elle est faible. Le problème ne se poserait plus (à long terme) si les revenus des retraités étaient mécaniquement indexés sur l'évolution des salaires. Bon nombre d'institutions sociales ont besoin de croissance parce que leur construction a été pensée à un âge de croissance rapide. Immuniser la société contre les aléas de la croissance doit aussi conduire à guérir de cette addiction institutionnelle.

Il faut ensuite inventer une nouvelle civilisation urbaine qui évite les ghettos et tempère, autant qu'il est possible, l'endogamie sociale. Les résultats obtenus par Luttmer concernant les effets négatifs du voisinage sur le bien-être ne sont pas généraux, ils ne se retrouvent pas au Canada, par exemple, où l'empathie est plus forte. L'envie n'est pas inéluctable[1]. Elle ne porte que sur les biens ostentatoires, par définition même. Pouvoir créer des associations diverses et variées, à l'inverse, rapproche les voisins, comme on l'a vu au Danemark.

---

1. Et René Girard insistait pour qu'on la distingue de la rivalité mimétique.

211

Il faut aussi revoir l'organisation de l'espace et faire advenir des villes vertes ! On a testé les émotions d'étudiants allant de leur résidence universitaire à leurs salles de cours, en empruntant soit un chemin dans les bois, long et détourné, soit un tunnel sous l'université, plus simple et plus rapide. La satisfaction supérieure va évidemment au chemin qui passe par la forêt en dépit du fait qu'il est plus long, mais dans une proportion qui a même étonné ceux qui ont conduit l'expérience. D'autres tests vont dans le même sens. Les hôpitaux dont les chambres disposent d'une vue sur jardin enregistrent un taux de guérison plus élevé que les autres… Le problème est que cette quête de la nature a donné lieu à une civilisation non pas urbaine mais périurbaine, laquelle crée un désastre écologique et social. Les coûts de transport s'ajoutent à ceux d'une endogamie sociale inquiète. Les architectes expliquent pourtant qu'une ville compacte peut être verte pourvu qu'on s'en donne les moyens[1].

La contrainte écologique dessine aussi, paradoxalement, une voie de pacification des relations internationales. Le risque écologique crée une communauté de destin. Ceux, tel Huntington, qui s'en tiennent à un discours sur le choc des civilisations semblent ignorer comment leurs histoires se sont constamment nourries d'emprunts réciproques. En analysant les enquêtes internationales en matière de bien-être, Benjamin Friedman faisait cette observation essentielle. Dans les années soixante, Cuba, les États-Unis ou le Nigeria exprimaient le même quantum de bonheur, indépendamment de leur niveau de revenu. Aujourd'hui, les enquêtes internatio-

---

1. Olivier Mongin, *La Ville des flux*, Fayard, 2013.

nales sur le bien-être montrent que les pays se rangent les uns par rapport aux autres comme des individus au sein d'un même pays, le plus riche étant plus heureux parce qu'il l'emporte dans l'échelle des comparaisons. L'explication la plus plausible, selon Friedman, est que les gens se rapportaient autrefois à leurs voisins proches, tandis qu'aujourd'hui ils trouvent des modèles à la télévision ou dans des communautés éloignées auxquelles Internet leur permet de se relier. C'est une mauvaise nouvelle dans la mesure où le besoin d'imitation risque de faire exploser les émissions de CO_2. Mais cela prouve aussi que les humains ont désormais la possibilité de penser leurs relations sociales en termes planétaires.

Désarmer la rivalité entre les nations est l'enjeu d'un nouvel ordre international qui ferait émerger une citoyenneté planétaire. Créer (par exemple) des droits de tirage de CO_2, qui aboutissent à en donner un usage égal à chaque humain, fait partie des moyens disponibles, ce qui aurait aussi pour effet de créer une conscience d'un destin partagé.

Edgar Morin résumait, dans son livre *La Voie*[1], les enjeux de ce qu'il appelait une « politique de civilisation » de la manière suivante : « Une société ne peut progresser en complexité, c'est-à-dire en liberté, en autonomie et en communauté qui si elle progresse en solidarité. La politique de civilisation doit viser à restaurer les solidarités, à réhumaniser les villes, à revitaliser les campagnes. » Il ajoutait ensuite qu'il fallait « renverser l'hégémonie du quantitatif au profit du qualitatif, en privilégiant la qualité de vie. La civilisation occidentale peut s'enorgueillir

---

1 Edgar Morin, *La Voie*, Fayard, 2011.

de ce qu'elle a de meilleur : la tradition humaniste, la pensée critique et la pensée autocritique, les principes démocratiques, les droits de la femme, de l'enfant et de l'homme. Les sociétés traditionnelles entretiennent une relation avec la nature, un sens de l'inclusion dans le Cosmos, des liens sociaux communautaires qu'elles doivent conserver tout en introduisant en elles le meilleur de l'Occident. » Et de conclure : « Une régénération de la pensée politique doit se fonder sur une conception trinitaire de l'humain : individu, société, espèce. » Magnifique programme où chaque étape est nécessaire à l'autre : l'individu ne pourra pas se penser comme le représentant d'une espèce à protéger, même si c'est la sienne, s'il n'a trouvé préalablement un sentiment de communauté partagée dans la société où il vit, travaille et désire.

Conclusion

La société moderne pourrait-elle se passer de croissance ? Compte tenu de l'immense pression qu'elle
exerce sur les individus, dans leur travail et leurs envies,
le plus honnête est de répondre que non. La croissance
pourrait-elle repartir ? Au vu des performances pas-
sées et des contraintes écologiques futures, il est également plus simple de répondre négativement. In fine,
la conclusion semble inévitable : la société occidentale
est condamnée à la colère et à la violence.

L'histoire humaine a déjà été confrontée à des contradictions insurmontables. Lorsque les humains ont
conquis la planète, poussés par une pression démographique qu'ils ne comprenaient pas, l'apocalypse était
« inévitable ». Le 13 novembre 2026, comme nous
l'avons vu, devait être le jour du jugement dernier, celui
où la croissance démographique aurait submergé les
continents... La terre tout entière aurait pu ressembler
à ces civilisations dévastées par les crises écologiques
qu'elles n'ont pas su maîtriser : la Mésopotamie antique,
l'île de Pâques, les Mayas ou les Vikings.

L'humanité a échappé à ce krach grâce à un bouleversement que personne en son temps n'avait anticipé : la transition démographique, laquelle a brutalement réduit le taux de fécondité féminine. Une nouvelle ère a ainsi été ouverte, que l'économiste Gary Becker a interprétée comme le passage du règne de la quantité à celui de la qualité des enfants.

Les sociétés modernes restent toutefois aussi affamées de richesses que l'étaient auparavant les sociétés agraires en matière de calories. Comme un marcheur qui n'atteint jamais l'horizon, l'homme moderne veut devenir constamment plus riche, sans comprendre que cette richesse, une fois qu'elle aura été atteinte, deviendra l'état normal dont il voudra à nouveau s'éloigner. Pourquoi l'homme veut-il constamment s'arracher à lui-même ? Question impénétrable, que les psychanalystes, les anthropologues et les économistes ont cherché à cerner, chacun avec leurs mots, mais dont l'essentiel peut se résumer en une formule : le désir humain est profondément malléable, influencé par les circonstances dans lesquelles il se déploie, ce qui le rend insatiable, infini…

Cette malléabilité est à la fois une malédiction et une chance. Car peu importe en réalité le plan sur lequel le désir se déploie, pourvu qu'il permette aux humains de se sublimer dans un travail, une œuvre, et de jouer leur partie sur la scène de la vie sociale. Mais pour rendre ces désirs humains compatibles avec la préservation de la planète, une nouvelle transition est devenue impérative, semblable à celle que la transition démographique avait permis d'accomplir : le passage de la quantité à la qualité.

Tant que la croissance matérielle restera la seule modalité dont disposent les sociétés modernes pour lutter contre le chômage et faire rêver à un avenir meilleur, il est difficile de penser qu'elles y renonceront. Mais comme le ressort de la croissance économique moderne est l'intensification du travail et le risque climatique, un triangle infernal se met en place : chômage et précarité d'un côté, tension psychique et écologique de l'autre... Le piège est imparable. Elle crée une société composée d'individus dépressifs qui deviennent incapables de se projeter dans l'avenir et de s'entendre sur les mesures nécessaires pour éviter un krach planétaire.

Compter sur la seule menace d'un désastre écologique ne suffira pas à mobiliser les peuples. Au-delà des mesures techniques indispensables pour l'éviter, le fond du problème est que celles-ci ne sont envisageables que si elles reposent sur un changement de mentalités. Au sein de l'entreprise, entre les personnes elles-mêmes, entre les nations, la pacification des relations sociales doit prendre le pas sur la culture de la concurrence et de l'envie. Les mentalités ont changé plusieurs fois dans l'histoire, mais jamais par décret. Elles se transforment lorsque les aspirations individuelles et le besoin social convergent vers un même but. Nous en sommes là...

Remerciements

Je remercie, pour leurs lectures subtiles, amicales et indul-
gentes, Jean-Claude Ameisen, Ismaël Émélien, Pierre-Cyrille
Hautcœur et Francis Wolff. Merci aussi à mes éditeurs,
Richard Ducousset et Alexandre Wickham pour le soutien
constant apporté à ce projet, ainsi qu'à Marie-Pierre Coste-
Billon pour sa relecture attentive du texte.

Table

III. REPENSER LE PROGRÈS

DU MÊME AUTEUR

Homo economicus, prophète (égaré) des temps nouveaux, 2012, Albin Michel.

La Prospérité du vice, une introduction (inquiète) à l'économie, 2009, Albin Michel ; Hachette, « Pluriel ».

Trois leçons sur la société post-industrielle, 2006, Le Seuil, « La République des Idées ».

La Mondialisation et ses ennemis, 2004, Grasset ; réédition Hachette, « Pluriel ».

Nos temps modernes, 2000, Flammarion ; réédition « Champs ».

Richesse du monde, pauvretés des nations, 1997, Flammarion ; réédition « Champs ».

Les Infortunes de la prospérité, 1994, Julliard ; réédition Presses Pocket, « Agora ».

Composition Nord Compo
Impression CPI Bussière en août 2015
Éditions Albin Michel
22, rue Huyghens, 75014 Paris
www.albin-michel.fr
ISBN : 978-2-226-31674-5
N° d'édition : 21846/01 – N° d'impression : 2015917
Dépôt légal : août 2015
Imprimé en France